DAMAGE NOTE

Item was damaged prior to checkout. Do not remove this slip, or you may be held responsible for the damages.

__Case/disc damaged

__Damaged/broken spine

__Damaged cover/jacket

__Loose/torn/missing pages

__Pen/pencil/highlight markings

__Piece missing (specify)

X Stains Yellow Stains on edges throughout

__Water damage

__Other_____

Date 2/17/24 SL

Indian Trails
Public Library District

БРАТ ОТВЕТИТ

роман

АННА И СЕРГЕЙ
ЛИТВИНОВЫ

Москва

2019

УДК 821.161.1-312.4
ББК 84(2Рос=Рус)6-44
    Л64

Оформление серии *С. Груздева*

Редактор серии *А. Антонова*

Литвинова, Анна Витальевна.

Л64   Брат ответит / Анна и Сергей Литвиновы. — Москва : Эксмо, 2019. — 320 с.

ISBN 978-5-04-104409-1

В отсутствие шефа, частного детектива Павла Синичкина, посетителей приняла его секретарь Римма. Новые клиенты поразили ее: братья Дорофеевы выглядели эталонными красавцами, но старший, Федор, атлет и тренер по паркуру, опекал младшего, аутиста Ярика... Ярик посещал центр реабилитации и влюбился в преподавательницу Ольгу, а та вдруг спешно уволилась и уехала из Москвы. Римма без труда выяснила, что Ольга скрывается в деревушке Псковской области, и договорилась о встрече. Оля рассказала, что уехала из-за участившихся угроз неизвестных. А вечером все телеканалы сообщили страшную новость о стрельбе в центре реабилитации, куда ходил Ярик...

УДК 821.161.1-312.4
ББК 84(2Рос=Рус)6-44

ISBN 978-5-04-104409-1

Все события придуманы авторами,
Все герои вымышлены.

Окно закрыто, а стойку на руках Федор научился делать в шесть лет. Но когда двадцать первый этаж — все равно стремно. И улыбка на лице немного клоунская. Но в остальном картинка идеальна. Плотные облака скрыли небо и дом напротив. Выглядит, словно серый задник в профессиональной студии. Да еще дождевые капли хаотично разрисовали стекло. Фигура в алом трико на фоне ненастья смотрится вызовом, приговором будням и скуке.

Федор сделал глубокий вдох, максимально напряг правую руку — и отнял левую от подоконника. Его слегка качнуло, нога коснулась окна. Будь оно *открыто* — мог потерять равновесие, полететь вниз. Опять слабина. Он мысленно выругался. Вернул левую руку на место, беззаботным сальто спрыгнул на пол. Сразу подошел к видеокамере, что была установлена напротив, на треноге.

Заголовок ролику он подобрал заранее: «Одни наслаждаются дождем, другие просто промокают»[1]. Очень к философии паркура подходит.

---

[1] Автор Роджер Миллер.

Включил комп, начал монтировать. Наснимал он на восемьдесят шесть секунд, так что без проблем получилось выкинуть все несовершенное, смазанное.

Дальше — музыкальный ряд. Подростки — *его зрители* — несомненно, оценят бандитский рэпчик:

Just look in my eyes

And you will see Russian paradise![1]

Просмотрел еще раз. Подошел с камерой к подоконнику. Открыл окно, выглянул вниз, снял страшную — дух захватывает — высоту. Добавил к видеоряду. И выложил ролик на «Ютьюб».

Первый лайк явился — двух секунд не прошло. Пока принимал душ, драил зубы, одевался в чистое — насыпалась почти тысяча. К вечеру — он не сомневался — перевалит за десятку. И комментов множество. Для большинства — он бог. Но с десяток пугливых мамаш обязательно обольют грязью. Спортивный директор на работе опять будет гнать трэш, что уволит.

Кто спорит, «чайникам» он подает плохой пример — попытаются ведь повторить, дураки. Но правила, нормы и безопасность — это к спортивной гимнастике. А в паркуре стойку на руках у заурядной стены делают только лохи. Просто без опоры, на земле — тоже не круто. На табуретке, брусьях — средний уровень. Вот отвесная скала или крыша небоскреба — высший пилотаж. У *открытого* окна было бы эффектнее. Но рискован-

---

[1] Ноггано. Russian Paradise.

но. Ничего, ему только двадцать. Все впереди. Еще успеет догнать и перегнать Дэмьена Волтерса[1].

Впрочем, едва Федор вышел из комнаты, маска супермена мигом сползла с лица. Для своих подписчиков он кумир и герой. Провинциалы тоже могут позавидовать: живет в столице, кирпичный дом, трехкомнатная квартира. Но остальной контент — полный отстой.

Мебель древняя, унитаз треснутый. В кухне накурено — хотя мать и клялась, что будет ходить на лестницу. Брат Ярик — глаза, как всегда, долу — ожесточенно ковыряет старую ранку на руке. Родительница — в дрожащей руке кофейная чашка — на младшего ноль внимания. Уткнулась в телик, про орошение кишечника слушает. Лучше бы мелким занялась. Прекрасно ведь знает: нельзя, чтобы он теребил царапины. Если не остановить, раздерет свою же плоть до мяса. Но маме на Ярика плевать. Зато Федору заулыбалась, кофе отставила прочь, вскочила:

— Оладьи будешь?

Он принюхался: в ее дыхании кофе, табак и коньяк. Подходящий наборчик для девяти утра.

Буркнул:

— Опять киряешь?

Мама виновато улыбнулась:

— Нет, Феденька, что ты! Только одну чайную ложечку в кофе! Я ж после ночной. Нужно расслабиться.

---

[1] Дэмьен Волтерс — профессиональный каскадер, тренер по гимнастике и фрираннер.

Можно подумать, она напрягается — когда консьержкой их подъезд сторожит. И дрыхнет всю ночь в каморке.

— Зря ты, мам, — мягко упрекнул Федор. — Совсем сопьешься — как я с вами двоими слажу?

И сел рядом с братом. Уверенно накрыл ладонью его руку, оторвал от болячки. Ярик насупился. Втянул голову в плечи, сдвинул брови, пробует вырываться.

Старший обернулся к матери:

— Посмотри, как расковырял! Кровь идет!

Та раздраженно отозвалась:

— Ну, йодом помажь. Дать?

И ни капли сочувствия в голосе.

Федор где-то читал, что женщина способна хранить верность только семь лет. Мать продержалась восемь.

В два года младшему поставили диагноз: аутизм, синдром Аспергера. Папаша и раньше в дела семьи особо не лез, проводил время с дружками, бегал налево. А тут быстренько свалил — навсегда.

Мать — та без колебаний бросилась бороться. Исступленно таскала Ярика по врачам, развивала, учила. Радовалась мелочам мелким: сам зубы почистил! В магазин сходил без истерик.

Но однажды понесла ее нелегкая к абсолютной звезде — академику, мегаавторитету по детскому аутизму. Полгода ждала, пока очередь на прием подойдет, жуткую сумму денег отвалила за консультацию.

На форумах про доктора писали: «Этот всегда

правду скажет». Светило и рубанул: «Перспектив улучшения нет, социализация маловероятна, обучение по школьной программе исключено даже в домашних условиях».

Мать и до поездки к академику из последних сил держалась. А когда услышала, что бороться бесполезно, — в одночасье погасла. Забросила развивающие методики, перестала таскать Ярика во двор, чтоб учился общаться. Начала попивать.

Федору тогда было уже шестнадцать. Он входил в сборную Москвы по спортивной гимнастике, постоянно мотался по тренировкам, ездил на сборы и дома бывал редко. Больной братик — если видеться с ним только поздними вечерами и по редким выходным — его особо не напрягал. Да, разобрать, что бормочет Ярослав, проблематично. А когда тот начинал одно слово по сто раз повторять — просто бесило. На улице мог опозорить: на землю упасть, заорать. И голова вечно долу, будто нашкодил. Зато если все-таки взглянет в глаза — светилась в них преданность похлеще, чем у японской собаки Хатико. Врачи уверяли, что аутисты ни к кому не имеют привязанности, но Федя считал — полное вранье. И лично за него младший брат жизнь отдаст.

Спортивная гимнастика — занятие стремное. Перелом лодыжки или ключицы считается мелочью. Федя тоже получал травмы, по счастью, легкие. Зато доводилось навещать в больницах тех приятелей по команде, кому повезло меньше. Поэтому он искренне считал: куда лучше быть аутистом, чем сломать шею или седьмой позвонок. Тем более что у брата синдром Аспергера, не самый из всего аутизма тягостный вариант. Да, говорить Ярик не любил и книжки читать не мог. Но мозги в какую-то странную сторону у него работали. Трехзначные числа перемножал, в шахматы Федора делал. И дрессировке, пусть трудно, но поддавался. Федя — хотя мать и возражала — научил Ярика мыть посуду. Получалось у того крайне медленно, и разбивал половину, зато очень уж лицо ржачное. Будто ни разу не повинность, а великую миссию выполняет. Долго разглядывает тарелку под всеми углами, крутит ее, вертит, чрезвычайно бережно касается губкой. Один предмет — пятнадцать минут.

— На воде разоришься, — ворчала мать.

— Пусть помогает, — улыбался Федор.

И чувствовал себя почти счастливым. Лучше хоть какие-то мать и брат, чем совсем сирота. У них на спортивной гимнастике был один парень из детского дома. Очень красочно рассказывал: про карцер и как в столовке за хлеб драться надо.

А потом случился переломный момент.

Однажды ярким субботним днем мать буднично заявила, что больше терпеть не может и вчера она подала заявление, чтобы Ярика отправили в интернат.

— Куда? — опешил Федор.

— Ну, к таким, как он, — пожала плечами родительница. — Ему лучше будет.

— Ты серьезно?

— Парень растет, агрессивным становится. Вчера у малышей во дворе мячик отнял. И бросил под машину.

— Ох, какой ужас! — хмыкнул Федя.

— Ты смеешься, — поджала губы мать, — а мне женщины сказали: еще раз на площадке появимся — полицию вызовут.

— Они не имеют права.

— Федя, — в маминых глазах заблестели слезы, — ты дома редко бываешь. Поиграешься с братом полчаса — и опять исчез. А я с ним — целыми днями. Он скоро будет подростком. Ты понимаешь, что это значит? Аутисты себя контролировать не умеют. Он уже вчера в спальне под дверью стоял, когда я переодевалась. И подглядывал.

— Ему всего двенадцать!

— Но он просто глаз с меня не сводил! Я боюсь! — прижала руки к груди.

Старший сын промолчал.

Забавное совпадение. Ему вчера тоже предложили полностью изменить свою жизнь. Перейти из обычной школы и секции на казенный кошт, в училище олимпийского резерва. То есть дома вообще не бывать. Тренировок еще больше. Зато перспективы — поездить по миру, что-то выиграть.

Мать, конечно, одобрит. Всем уже раззвонила, что Федор — кандидат в сборную России, скоро золотую медаль привезет.

И будет счастлива обоих сбагрить, пьянствовать в свое удовольствие.

— Ты уже ездила в интернат? — спросил Федя.

— Зачем? — удивилась она. — Документы пока не готовы.

Федя отправился сам. Посмотрел, ужаснулся. Палаты на десятерых. Хлорка, кислая капуста, санитарки в грязных халатах. Пациенты — отрешенные зомби. Какое там мытье посуды или шахматы! Месяца не пройдет — Ярик и говорить разучится.

«А если я с бревна сорвусь, мать меня в другой интернат засунет. Для парализованных».

Осуждать или переубеждать не стал.

Другую все равно взять неоткуда.

Но Ярика в интернат отпускать нельзя.

На хрен медали. Все равно единицам достаются, а у них только в потоке больше ста человек.

Мать решила свое, а он — свое.

Вместо училища олимпийского резерва порвал с гимнастикой и взял Ярика полностью на себя.

Мать ужасно оскорбилась, что ребенок, не спросив ее разрешения, посмел бросить спорт, и ударилась в конкретный запой. Федор запаниковал. Как в школу-то ходить? Оставлять дома пьяную маманю и больного брата никак нельзя. Квартиру спалят. Сначала думал на домашнее обучение проситься, но это ведь сам с ума сойдешь — целый день ухаживать за инвалидом, да еще и уроки учить.

Засел за форумы и отыскал: неподалеку от дома имеется Центр реабилитации больных аутизмом. Коммерческий.

Дорогим оказался, зараза, зато работать начинал с восьми утра. Федя успевал *отвести дитя в садик* и почти не опоздать в школу.

Ярик согласился ходить в Центр без капризов. Местечко оказалось милое, похожее на дом отдыха: свой сад, цветы, дорожки, фонарики светодиодные.

На ресепшене восседала улыбчивая рыженькая болтушка и красавица Ксюша. Педагоги — сплошь молодые и даже неформальные, кое-кто щеголял в рваных джинсах или пирсингом сверкал. Методики, как ему рассказала начальница, применялись самые современные. Брат за пару недель научился собирать кубик Рубика и разборчиво, металлическим голосом робота, говорить: «Здра-вствуй-те».

Только вот никаких льгот для их неполной семьи не полагалось.

На то, что в будни, с восьми до двух, Ярик находился в Центре, уходила вся его немаленькая инвалидная пенсия. Надо оставить на подольше — платить нечем. От матери с ее зарплатой консьержки толку мало.

И опять Федя нашел выход. Спортивная гимнастика сейчас мало кому нужна. Но если ты умел делать сальто, то легко мог освоить стремительно входящий в моду паркур.

Он пересмотрел кучу роликов, кое-что натренировал, показал в школе на уроке физкультуры. Народ прифигел. А физрук сам предложил секцию открыть. Вместе.

Вдвоем отправились к директору. Начальство одобрило. Официально Федора оформить не могли, но конвертики каждый месяц он получал.

Даже парни из обычных семей завидовали: им, чтобы девчонку в кино сводить, приходилось у родителей клянчить. А у Феди, пусть небольшая, но собственная денежка имелась.

Школа, по счастью, скоро закончилась, и замаячили перспективы посерьезнее. Парня — кандидата в мастера спорта, да еще с *опытом преподавания паркура* — взяли инструктором в батутный центр. Вел две группы, плюс частные уроки давал — восемьсот рублей за шестьдесят минут «чистыми». На фоне прочих инструкторов — доморощенных уличных паркуристов — смотрелся весьма выигрышно. Поэтому ценили. Пропустить занятия, подмениться — вообще не вопрос. И Ярика на работу разрешали приводить. Братик сначала дичился, сидел букой в углу, но хотя бы по полу не катался и в буйство не впадал. Наблюдал завороженно за прыгунами, причем пижоны, крутившие сальто, его не интересовали. Он не сводил глаз с детей, кто примитивно скачет вверх-вниз. А вскоре оттаял настолько, что сам стал прыгать. Смотрелся еще смешнее, чем малыши. Посетители его за робота принимали: амплитуда всегда одинаковая, в сторону ни шагу, руки скрещены, посадка головы строго вертикальная, лицо отсутствующее. И терпение адское — мог час прыгать, два, три, пока не падал от усталости.

Федор даже короткое видео снял, показал в Центре, куда продолжал водить Ярика. Там изумились: чуть ли не первый случай в мире, когда больной аутизмом освоил батуты. Федора дружно уговаривали доклад сделать. Обещали на английский перевести, за границей издать.

Но по-научному молодой спортсмен выражаться не умел, а общие слова про свободу полета и приятно пустеющий во время прыжков мозг писать не хотелось.

Он гордился, что жизнь своей семье сумел устроить, что милостыни ни у кого не просит. Что даже автошколу закончил и, может, со временем накопит и на машину.

В любви только не везет.

Но оставалось радоваться тому, что есть.

Мать кое-как ведет хозяйство, пьет в меру. Брат — пусть не превратился в полноценного члена общества — особых тягот не доставляет. И повинуется старшему беспрекословно.

...Вот и сегодня Федор не сомневался, что решит проблему за минуту. Подумаешь, ранку вздумал ковырять! Взял Ярика за руку, сказал строго:

— Нельзя.

— Буду, — сердито ответил младший.

И попробовал вырваться.

Обычная и полностью нормальная первая реакция.

— Нельзя! — повысил голос Федор.

Сильно сжал ладони Ярика — боль всегда отрезвляет. Потом отпустил, протянул брату четки. Главное — переключить внимание.

Тот насупился — и четки отшвырнул.

В Центре предупреждали: шестнадцать лет для больного аутизмом — возраст сложный. Половое созревание завершилось, тело требует, а мозг не понимает, что организму надо.

— Будешь ковырять — врежу. Конкретно, — пригрозил Федор.

И кивнул матери:

— Дай пластырь.

Ловко заклеил ранку. Снова повторил:

— Не смей больше трогать.

Однако Ярик сорвал пластырь и ковырнул царапину с такой силой, что кровь струей брызнула.

А вот это уже бунт.

— Я предупреждала, — проскрипела матушка, — время придет — он и тебя перестанет слушаться.

Применить конкретную силу — дать пощечину, прижать брата к стене и снова заклеить рану — ничего не стоило. Но Федор решил попробовать договориться. Перестал нападать и спросил участливо:

— Проблемы, бро?

— Бро... — повторил Ярик.

— С девушкой поругался? — подмигнул Федор.

Он прекрасно знал, что девушки — как и любые другие люди, кроме самого себя — брата не интересовали.

Зря он на *человеческие разговоры* время теряет. Сейчас Ярик бесконечно заладит, как всегда бывало с новым для него словом: «Бро, бро, бро...»

Но тот вдруг сказал:

— Оля.

— Как? — Федя от неожиданности даже отпрянул.

А Ярик снова вцепился в царапину, начал драть ее, раскачиваться, забубнил:

— Оля-ля-ля-ля-ля...

— Все. Хватит! — рявкнул Федор.

В который уже по счету раз заклеил рану. Слегка врезал брату под подбородок:

— Сдерешь пластырь — прибью. Понял?

Непедагогично, в Центре не одобряли, но действовало.

Ярик членовредительство прекратил, но про неведомую Олю твердил весь завтрак и потом, когда Федя вел его на занятия.

— Да кто она такая? Тоже в ваш Центр ходит? Или училка? — пытался выведать старший брат.

Но добился только надсадного вопля:

— Ушла от меня!

Федор усмехнулся. Надо ему задержаться в Центре. Поболтать с Ксюшей, понаблюдать. А то вечно в спешке: привел, забрал — и бежать. Может, американские и прочие мировые методики, что активно практиковали педагоги-новаторы, возымели действие? И отрешенный от мира брат вскоре окончательно превратится в нормального? Влюбится, женится, нарожает детей, научится петь им колыбельные песни? А то и в кино снимется?

— Ярославушка наш пришел! — привычно обрадовалась администратор.

Ярик всегда махал старшему рукой, но сегодня не попрощался. Сразу двинул в общий зал, полный самых разнообразных предметов. Пазлы, мягкие мячи, кубики, матрешки, яркие карточки. Федя каждый раз удивлялся, насколько увлеченно с этой белибердой возятся взрослые на вид люди.

Он проводил брата взглядом и спросил у Ксюши:

— А Оля — это кто?

Та округлила глаза:

— Вам *Ярик* про нее сказал?

— Угу, — кивнул Федор.

— Прямо имя назвал? Потрясающе! — восхитилась. — Это явный прогресс! Меня он все годы упорно называет тетей. — Схватилась за телефон, объяснила: — Начальнице позвоню, обрадую!

— Потом позвонишь. — Федя, на правах красавца и атлета, с девушкой был без церемоний. — Мне объясни сначала. Кто она?

— Педагог наш. С Ярославом очень плотно работала последние несколько месяцев. Они подружились, насколько это возможно.

— Я могу с ней поговорить?

— Нет, — вздохнула Ксюша. — Ольга уволилась. Еще позавчера.

— Почему?

— Непонятно, — понизила голос администратор. — Она просто заявление написала — и все, исчезла. Телефон выключен. С квартиры съехала.

— Откуда эти детали?

— Так ищем ее! Начальство в ярости! По кодексу ей хотя бы две недели надо было отработать. А по-хорошему — пока замену не найдем. Разве можно так уходить? Вон Ярик ваш потерянный какой!

Федор взглянул сквозь стеклянную стену общей залы. Младший брат забился в угол, подтянул колени к подбородку. Рядом с ним стояла милейшая девушка-преподаватель, что-то горячо вещала, но Ярик закрыл ладонями лицо и с каждым ее словом все глубже впивался ногтями в череп.

— Так чего эта ваша Оля ушла? Может, поссорилась с кем-то? — предположил Федор.

— Я бы знала, — простодушно отозвалась Ксюша. — Два дня дерганая ходила, а позавчера утром прибегает вся бледная, заявление на стол кинула, вещи похватала, вместо «до свидания» — «Только не ищите меня!» И усвистала.

— А она с одним Яриком работала или с другими тоже?

— Господи, Федя, вы совсем, что ли, с луны свалились? Это та самая Ольга Савельевна, что у них танцы вела! Балет ставила! Несколько дней назад премьера прошла, с большим успехом. Ваш Ярик главную партию исполнял. И в Главный театр они вместе потом ходили.

— Ах, да-да.

Вот, значит, кто эта Оля.

Лично Ярик ничего о своих танцевальных подвигах не рассказывал — он о себе говорил крайне редко, а тут еще, видно, стыдился, что девчачьим делом увлекся. Но Ксюша звонила, предупреждала: тогда-то репетиция, тогда-то премьера. Разумеется, Федор на нее не пошел — дурак он, что ли:

балет смотреть? Только радовался, что брат задерживается — а платить за дополнительное время не нужно.

Но чего эта Ольга, правда, смылась? Может, права мать? Зажал их *особый ребенок* преподшу в углу, перепугал до смерти? Естество у него изрядное.

Ярик, хотя и умел принимать душ самостоятельно, постоянно разбрызгивал воду, поэтому брат частенько приходил помогать-надзирать. И все гадал, о чем думали природа или Создатель, когда наделяли блаженного столь гигантским хоботом.

Он осторожно спросил у Ксюши:

— А она не из-за Ярика ушла? Я, хоть и здоровый, себя в шестнадцать лет с трудом контролировал. А он-то недееспособный. Никаких норм и правил.

— Нет, что вы! — отмахнулась Ксюша. — Ярик Олю только как педагога воспринимал. Да и потом, у нас ведь видеонаблюдение!

«Да ладно. А парк? Он огромный, на все закоулки камер точно не напасешься».

Федор немного общался с другими горемыками-опекунами. Знал: если больной аутизмом подросток *вожделеет,* морали-ограничения ему не писаны. И Оля — раз учитель — тоже прекрасно понимала: в полицию на психически больного не пожалуешься. Только и остается — если допек — убегать.

— Она хоть красивая была? — поинтересовался у администратора.

— Обычная. Ни рыба ни мясо, — пригвоздила Ксюша. И кокетливо подбоченилась.

Федор, впрочем, на призывную улыбку не ответил. Сухо попрощался и вышел вон. М-да, дела. Если брат действительно начал зажимать в углу воспитательниц, из Центра его скоро попросят. По-западному вежливо, но неотвратимо. И еще — вдруг осенило его — имеется один вариант. Самый неприятный. Хотя почему неприятный?

Если сбежала *та самая* — вообще отлично.

* * *

Мать любила охать, что младшему сыну «плевать на всех». Но Федор считал: родительница попугаем повторяет азбучную истину: аутист — человек в себе. Да, он в себе. И душой компании никогда не станет. Но любить умеет. Преданно. Как хорошая собака.

Прежде Федя (слегка рисуясь) считал, что он у Ярика — единственный хозяин. Но блеклая Оля — а как иначе, если старший брат даже ее лица не запомнил, хотя наверняка видел в Центре, — внесла в их жизнь полное смятение.

Начать с того, что Ярик впервые за четыре года на следующий день категорически отказался идти на занятия. Цирк устроил такой, что соседи стучали по батарее: визжал, катался по полу, драл лицо ногтями. Федор, хотя давно тренировал в себе выдержку с хладнокровием, еле удержался, чтобы не навалять блаженному по первое число. Но смог себя остановить — не потому, что добрый, а просто бесполезно. Упрямец все равно не пойдет, сколько ни бей.

Мать, едва начался скандал, сразу категорически заявила:

— Я с ним одна не останусь.

И чего было делать? У Федора с двенадцати работа — сначала индивидуалки, потом группа. Подмениться возможно, но за клиентов в клубе драка. Нашепчут, что «проблемный инструктор». Уведут с трудом завоеванный контингент.

Привязать к кровати, заткнуть рот, чтоб не орал, и уйти? Совсем гестапо.

Пришлось пойти на мировую.

Отвел Ярика в гостиную, включил телевизор, строго произнес:

— Сейчас выберем канал, и ты его будешь смотреть. Целый день. С дивана не встанешь.

Любой *нормальный* сразу бы взялся спорить, но Ярик только кивнул.

Минут десять не сводил глаз с телемагазина, потом ненадолго увлекся мультиками, но в итоге выбрал сериалы. Здесь они шли подряд, без рекламы: про Мухтара, «След», «Ментовские войны» и прочее.

Федор попытался отговорить:

— Не поймешь ничего. Давай лучше про природу. Или футбол.

Но Ярик лишь головой упрямо потряс.

Старший сходил на кухню. Нарезал колбасы, набрал сухарей, сушек, взял яблок, бананов, бутылку воды. Разместил на столике рядом с диваном. На пол поставил «утку», притащил плед, если брат вдруг замерзнет. Ярик не сводил глаз с экрана. Федя погрозил на прощанье кулаком, напомнил:

— Тихо сидеть! С дивана не вставать.

И запер гостиную на ключ.

Окна — стеклопакеты с заглушками. Никакой стеклянной посуды или ножей. Хорошо бы кого-то оставить на страже, но мать лживо улыбнулась, начала плести про подругу — та якобы сломала ногу, помочь некому, в общем, нужно срочно ехать на другой конец города.

Федор не дослушал, попросил:

— Главное — много не пей.

На работе нервничал. Вспомнил, что сервант в гостиной со стеклянными дверцами. И у лэптопа шнур искрит, изолентой замотан. А Ярик — тот все чинить обожает. И не позвонишь ведь, не предупредишь, чтобы не трогал. Брат обращаться с телефоном не умеет. А если и возьмет трубку — все равно сделает наоборот. Из принципа. Лучше не привлекать внимания и надеяться, что не заметит.

У последней группы Федя даже заминку проводить не стал. Велел делать растяжку самостоятельно и помчался домой. Окна в квартире темные — только в гостиной экран мерцает. Мать, значит, до сих пор шляется. А Ярик, похоже, умник. Послушно сидит перед теликом.

Дверь постарался отпереть бесшумно. Сразу сбросил ботинки, прокрался до гостиной в носках, прислушался. Стреляют. Очередной бандитский сериал.

Повернул в замке ключ, вошел — и обалдел. Телевизор брат не смотрел.

Валялся в углу комнаты на животе и азартно лупил по клавишам лэптопа. На Федора даже не взглянул. По экрану компа сыпались объемные геометрические фигуры. Старинную игру «Тетрис» где-то раскопал.

Хитер бобер! Прежде к компьютеру никакого интереса не выказывал. А тут и включить сумел, и в Интернет выйти, игрушку скачать.

— Ярик, — задумчиво спросил Федор, — может, ты все гонишь?

Брат обернулся. Повторил:

— Гонишь.

— Ага, — кивнул Федя. — Нарочно под дурака косишь.

— Косишь.

Ведет себя, как обычно, но в глазах что-то похожее на насмешку мелькнуло.

«Другой он стал, — с беспокойством подумал Федор. — Надо с врачом повидаться».

И строго спросил:

— Завтра в Центр пойдешь?

— Нет, — поспешно откликнулся брат. И разразился почти осмысленной фразой: — Оли нет, ходить нет.

Бредовая ситуация. Федя позвонил лечащему врачу. Рассказал о подвигах Ярика. Доктор предсказуемо заволновался и велел прибыть к нему завтра.

Счастье, что индивидуалок не запланировано. А в группе придется просить, чтобы заменили. Врач живет далеко, принимает не сразу и с Яриком беседует часа по два. Целый день из жизни можно смело вычеркивать.

* * *

Мать явилась только к полуночи, пьяная, про Ярика спросить не утрудилась, лезла к Феде гладить по голове, порывалась с ним выпить и разозлила окончательно.

Спать, конечно, уложил, но ровно в восемь утра растолкал. Строго приказал:

— Следи за малы́м. Я бегать пошел.

— О-о, не-ет! — простонала родительница.

— Давай-давай. Вставай!

Скинул одеяло, вытянул за руку из постели, подал халат, привел на кухню.

— Вари себе кофе и даже не думай спать!

— Изверг, — ласково улыбнулась матушка.

И взглянула с обожанием.

«Да, я король», — грустно подумал Федор.

И выбежал в весеннее утро. Бег он не жаловал, но признавал: сие занятие отлично прочищает мозг. И убивает злые мысли. Будем надеяться, пять километров в быстром темпе изгонят идею, что мать была права, когда хотела сдать Ярика в интернат.

Рядом с их многоэтажкой располагался парк, и здесь уже вовсю кипела активность. Лаяли собаки, дамы с палками для ходьбы умудрялись перегораживать все тропинки, юные качки штурмовали брусья с турниками, мамаши с малолетними детьми истерично взвизгивали: «Ой, смотри! Уточка! Белочка!»

Влажный воздух обволакивал, ветер бил в лицо, нервы постепенно успокаивались. Федор вспомнил, как сам подростком чудил, как одноклассники выделывались, кое-кто до тюрьмы. Ярик — не человек, что ли? Надо банально потерпеть, пока гормональная буря закончится.

Умиротворил себя настолько, что по пути домой заскочил в магазин, взял эскимо — Яриково любимое. Но заплатить не успел — когда шел к кассе, налетел на Ильиничну, соседку с двадцатого этажа. Та окинула рентгеновским взглядом его потный спортивный костюм и буркнула:

— Бегает он! Лучше б за братом смотрел.

Федор нахмурился:

— Ярик дома.

— Ага, жди. Сбежал он.

— Как?

— Вот уж не знаю! Я его у подъезда встретила, хотела остановить — плюнул в меня. Плюнул, я едва увернулась! Знаешь ведь, что дурак, — зачем одному ходить разрешаешь? — Тон Ильиничны стал визгливым, люди начали оборачиваться.

Федор отшвырнул мороженое, схватил соседку за плечи:

— Куда он пошел?!

Возмутилась, сбросила его руки:

— Ты чего трясешь-то меня?

— Куда он пошел?! — взревел Федор.

— Ох, господи! В парк вроде. Да ты не бойсь, — успокоила снисходительно, — там ментов полно. Отловят. Доставят обратно.

Вот тебе и «все хорошо». Мамаша, видно, обратно в койку завалилась — а Ярик воспользовался. Но что у него на уме? Приступ дромомании?[1] Или что похуже надумал?

Федор вышел, растерянно затоптался у магазина. Кусковский парк — почти лес, 310 гектаров. Усадьбу Шереметевых и всякие шахматные площадки, где народу полно, можно исключать сразу. Но если свернуть с тропинок, можно совсем глухие места отыскать. Вдруг вешаться собрался? Оптимистов с синдромом Аспергера не бывает. До двух третей больных задумываются о самоубийстве. Еще треть пытается его совершить. Ох, как Федя сейчас зол был на мать, что недосмотрела — и даже небось рада будет *освободиться от инвалида!*

Он — спортсмен — с детства привык действовать решительно, быстро, но сейчас лишь бесцельно стоял на крыльце. Глупо бегать по всему парку. А догадаться, что у брата на уме и где его искать, Федор не мог.

Но иногда и растерянность на руку. Пока паниковал возле магазина, оттуда вышла Ильинична, за ней — грузчик-узбек в синей спецовке.

---

[1] Д р о м о м а н и я — влечение к побегам из дома, скитанию и перемене мест, наблюдается при различных психических заболеваниях.

— Федор! — громогласно выкрикнула соседка. — Вот он видел! Ярик к станции пошел!

Еще круче. Железнодорожная ветка проходит по окраине парка, и поезда с электричками по ней носятся каждую минуту.

— К «Вешнякам» пошел, да! — закивал узбек.

— Когда это было? — подобрался Ярик.

— Четыре минута назад. Может, пять.

Тогда шанс есть. Нагнать, остановить.

— Спасибо! — на ходу крикнул Федор и со всей мочи бросился бежать.

Станция «Вешняки» в их микрорайоне особой популярностью не пользовалась. Электрички там останавливались редко, а идти — почти столько же, сколько до метро «Выхино». Но Федя, раз машины пока не имел, считал, что нужно использовать все возможности общественного транспорта. Поэтому знал и расписание, и короткий путь лесными тропами.

Туда сейчас и свернул. Ярик, по счастью, бегать не умеет. Есть шанс нагнать.

Мчался вдвое быстрее, чем на пробежке, но нервы — недавно умиротворенные — расшаливались все больше. Федор злился на всех: на Олю и сотрудников Центра. На мать. На создателей сериалов. Небось это они вчера показали Ярику очередную современную версию прыжка Карениной, и несчастный больной решил повторить.

Федя миновал лес, выбежал к забору НИИ с неведомым ему названием. Попытался еще прибавить газу, но силы даже у спортсменов не беспредельны. Сбавил темп до очень быстрого шага — и вдруг увидел: Ярик деловито шагает по территории.

Остановился, заорал:

— Ярослав, стой!

Брат, несомненно, услышал. Но даже и не подумал бежать на *свист хозяина*. Вжал голову в плечи и скрылся внутри здания.

А ведь в НИИ — бюро пропусков, строгая табличка: «Вход строго по заявке от фирмы и паспорту»!

Как он охранников уболтал — документ-то у Федора лежит? И какая-такая фирма подала заявку?!

Но выяснять некогда. Забор неудобный, довольно высокий, с пиками, но руки у Федора сильные. Легко подтянулся, перемахнул, спрыгнул. Сирены не взвыли, пара дамочек, куривших у крыльца, поглядели с уважением.

Спортсмен на ходу отряхнул руки и спортивные штаны от заборной ржавчины, вбежал в здание, успел увидеть: ярко-синяя со светоотражающей полосой курточка брата мелькнула на лестнице.

У Ярослава, несомненно, продуманный план. Зря Федор считал, что брат по интеллекту на уровне ретривера, а то и комнатного растения.

Вот и второй этаж. Синей куртки не видно. Коридор почти пуст — только уборщица возит по полу грязной тряпкой.

— Простите, — кинулся к женщине Федор, — вы не видели, парень в синей куртке куда пошел?

— Откуда мне знать? Я только ваши ботинки вижу, — буркнула уборщица.

— Он в черных кроссовках. И черных брюках.

Женщина неопределенно показала рукой вперед:

— Туда куда-то.

«ООО «Летим в лето» — прочитал Федор на одной из дверей. Открыл, заглянул — две тетеньки за компьютерами.

— К вам подросток не заходил? — сам не понял откуда, но в голосе жалобные нотки.

— Мы турпутевки детям не продаем, — проскрипела одна из дам.

А уборщица разогнулась, взглянула на Федора, уточнила:

— В правый коридор повернул. — И похвалила: — Кроссовочки чистенькие, такой молодец!

Федя старые фильмы почти не смотрел, но «Солярис» осилил. И сейчас ощущал себя героем Криса Кельвина. Погнался за сумасшедшим, а теперь чувствует, что сам сходит с ума.

«ИП «ЧАЙ-ВЫРУЧАЙ» — дверь заперта.

Рекламное агентство «Пятый отдел» — в комнате единственный мужчина, почему-то в военной форме, погоны майорские. Федор его даже ни о чем спрашивать не стал, поспешил дальше.

На следующем офисном помещении висела табличка: «Детективное агентство «ПАВЕЛ».

Туда Федор тоже заглянул — и, о, счастье, синяя куртка брата и сам Ярик оказались здесь.

Брат сидел спиной к входу, за столом. А по другую сторону, лицом к двери, оказалась довольно милая, но очень испуганная девушка. Федя успел оценить потрясающие ведьмины глаза и нахальный оранжевый лак на ее ногтях. Бросился к брату. Хотел — без пиетета — сразу взять за шкирман, но удержался. Как мог беспечно произнес:

— Ну, и что ты тут делаешь, Ярик?

На прямые вопросы его подопечный отвечал крайне редко. Сейчас тоже промолчал — только голову в плечи традиционно втянул. А милашка — довольно растерянно — отозвалась:

— Молодой человек хочет мне заказ дать.

— Дать что?!

— Поручить поиски человека.

— О, боже!

— Да. Просит м-м-м... его девушку отыскать. Фоторобот принес.

— Фоторобот?!

Напряжение дня доконало, Федя вдруг начал ржать — неожиданным для себя самого тоненьким смехом.

Без церемоний подошел к столу, взял нарисованную карандашом картинку. Без сомнения, творчество Ярика. Полная абстракция, на лицо похожа чрезвычайно отдаленно.

— А что... что он еще вам сказал? — продолжал задыхаться от истеричного хохота Федор.

Зеленоглазая красавица совсем растерялась, на глазах слезы:

— Он сказал, что ее зовут Оля.

— Номер... номер двадцать пять тысяч сто сорок семь! — продолжал угорать Федор. Увидел полное непонимание на лице собеседницы, постарался взять себя в руки:

— Я читал: в России четыре с половиной процента женщин носят имя Ольга. Так что тяжело вам придется!

Стер наконец с лица глупую ухмылку. Произнес:

— Извините. Перенервничал. Меня зовут Федор Дорофеев. А к вам пришел Ярослав, это мой младший брат. У него аутизм.

— Я поняла. — Ведьмочка с оранжевыми ногтями вновь обрела хладнокровие. И деловито уточнила: — Но ваш брат ищет вполне конкретную Ольгу.

— Неважно, кого он ищет.

Федя положил руку на плечо Ярику. Он реально боялся: сейчас опять начнется истерика. Ковырять ранку — ерунда. Брательник может и запястье себе перегрызть, и карандаш в глаз всадить.

Ожидал буйства — но неожиданно увидел просто несчастного, с россыпью прыщей на лбу, подростка. Ярик сложил руки в молящем жесте (в его арсенале раньше такого не было — не иначе, в сериалах вчера подсмотрел) и попросил с почти нормальной дикцией:

— Оля. Фамилию узнать. Несложно. Римма найти.

— Римма — это вы?

— Да. Я... частный детектив, — не слишком уверенно представилась девушка.

Ничего себе! Несчастный больной и познакомиться с красоткой успел.

— А почему Римма, если агентство называется «Павел»?

— Павел — мой м-м-м партнер. Но он сейчас в отъезде. Я работаю сама.

— Ладно, Ярик, пошли, — скомандовал Федор.

Девушка взглянула обиженно:

— Объяснили бы хоть, кто эта Ольга.

— Он ходит в Центр инвалидный. Это его учительница. Она два дня назад уволилась.

— Значит, найти ее будет не слишком сложно, — обрадовалась Римма.

— Нет. Никого искать не нужно, — твердо сказал Федор.

— Я сейчас буду орать, — абсолютно нормальным голосом предупредил Ярик.

И уже рот открыл.

— Только посмей!

— Тогда Оля, — мгновенно отозвался брательник.

Ничего себе! Торговаться научился.

Но если правда начнет вопить? Ярик умел, Федор всегда со стыда умирал. Очень неудобно будет на глазах милой ведьмочки оскандалиться.

— Едрень-матрень! — не удержался Федя. — Вот лживое создание! Притворялся, что попу себе толком подтереть не умеешь! Как ты, баран, детективное агентство нашел?

— Интернет, — опустил голову Ярик. — Карта. Искать рядом, где наш дом.

— Логично, — вздохнул старший брат.

— Вы знаете... — робко встряла Римма, — у нас сейчас скидки. Плюс он инвалид. Совсем недорого получится.

— Да не в этом дело! Просто не нужно ее находить!

— Почему?

М-да. Хоть сыщица и молода, но *навязывать услуги* умеет.

Федор хмыкнул:

— Втрескался он, похоже, в эту Олю. Домогался ее. Поэтому и удрала. Колись, Ярик, зажимал ее в углу? Целовать пытался?

— Целовать, — вздохнул печально. — Оля сердиться. Но меня простить. Ее дядя пугать. Не я.

У Федора совсем голова кругом.

— Какой еще дядя?

— Театр. Красный и золото.

Римма аж рот приоткрыла — миленькие зубки, розовый язычок.

Старший неохотно пояснил:

— Оля водила их в Главный театр.

— Ладно вам упрямиться! Давайте я ее найду! Бесплатно! — горячо произнесла юная сыщица.

— Ох, Ярик. Одни траблы с тобой, — буркнул Федор. — Ладно. Так и быть. Только милостыни мне не надо. Давайте договор или что у вас там. И говорите, какой аванс.

Сыщица послушно достала бумаги. Старший брат виновато улыбнулся:

— Но хороши мы, заказчики! Я ведь тоже не знаю, как выглядит эта Оля. С преподавателями общаться некогда... Ярик, можешь ее описать?

— Красивая, — робко улыбнулся младший.

— Понятно, — тяжело вздохнул Федор.

А детектив посоветовала:

— Лучше позвоните в Центр реабилитации и просто узнайте ее фамилию.

Старший поморщился. Достал телефон, набрал номер. Когда ему ответили, потребовал — одновременно бархатно и властно:

— Ксюша, как там эту балерину зовут?

Поблагодарил сухим «спасибо», прощаться не стал и сообщил:

— Польская Ольга Савельевна.

Римма

Павел Синичкин опять меня бросил.

Как *мужчина и женщина* мы расстались давно, но теперь я и старшего товарища-наставника-друга лишилась.

...Начало года в нашем детективном агентстве выдалось чрезвычайно бурным. Четыре дела в производстве, работа без выходных, ночи без сна. Пашуне, конечно, доставалось круче — но на то он мужчина и главный. Впрочем, я тоже вертелась, как сумасшедшая белка в колесе.

В конце марта в делах наступила наконец блаженная пауза. И я очень надеялась, что Паша предложит нам отдохнуть — вместе.

Однако Синичкин огорошил:

— Римма, я решил поехать в Индию. Причем по шоковому варианту. Кемпинг. Ноль звезд. Удобств нет, змеи, ядовитые насекомые, дизентерия. Поэтому с собой не зову. Тебе там абсолютно не понравится.

— А тебе?

— Ну, я старый солдат. Привык к лишениям.

— Ты не можешь себе позволить что-то приличное?

— Я хочу о жизни подумать. А все говорят: именно в Индии случаются просветления. Надо понять, куда дальше двигать. Устал я уже частным детективом бегать.

Меня раздирал миллион чувств, исключительно деструктивных. Но — чтобы не плакать — я улыбнулась. И посоветовала:

— Обязательно ходи на йогу. А еще медитируй. Очень помогает просветлиться.

— Буду, — решительно отозвался он.

— Только *пирамидон* не кури. Вредно для здоровья.

Мне очень хотелось со всей силы врезать Синичкину под дых.

Врет все, я нюхом чуяла. Куда-то в другое место он едет и с кем-то.

Но упрашивать, унижаться не стала. Ничего. Поработаю *одна*. Заодно и осмотрюсь. Давно пора не сохнуть по Синичкину, а замену ему искать.

И не успел Паша отбыть — вот вам, пожалуйста. Явились два красавчика.

Я прежде считала: в плане внешности моему шефу конкурентов нет. Однако обожаемая мной Пашина квадратная челюсть слегка померкла, когда я увидела Федора с Ярославом. Эти двое были сделаны будто по канонам Леонардо да Винчи. Возьмись измерять — наверняка золотое сечение обнаружишь. Ширина носа равна расстоянию между внутренними уголками глаз. Идеальные, писаные красавцы.

Парням бы в кино, на сцену, в фотомодели! Но взгляд младшего постоянно опущен в пол. А старший — хотя лет ему не больше двадцати — уже обзавелся скорбной морщиной на переносице. Похоже, помощников у него нет — сам инвалида тянет.

Задание, которое я выклянчила, не казалось слишком сложным. Подумаешь, найти учительницу, которая уволилась и — несомненно, по-дилетантски — заметала следы!

Хотя Федор, конечно, был прав: искать Ольгу незачем.

Находись рядом Паша, мы вместе нашли бы тактичный способ отказать странной парочке. Но я была одна, и проклятая бабская жалость не позволила выгнать человека, который совершил подвиг. А как еще поступок Ярика назвать? Аутисты, насколько я знаю, всего боятся, из своей раковины не выбираются. Но этот — решился самостоятельно выйти из дома, найти наше агентство, прийти, попросить.

И брат — пусть идея Ярика его откровенно раздражала — тоже поступил благородно. Не поволок несчастного с позором домой. Но согласился подписать договор, даже не спросив про сумму гонорара.

Впрочем, цену я назвала минимальную. Практически благотворительную. Сейчас милосердие в тренде, пора и мне кому-то помочь. К тому же других дел все равно нет. Пашино сексистское указание оттереть от вековой пыли плинтусы (уборщица не касалась их принципиально) можно проигнорировать.

Федор выдал аванс немедленно. Ярик посмо-

— Но пообщаться ведь с ними можно?

— Можно. Но я не общался. Некогда. Да я и не мамка, чтоб спрашивать, чему там мой пупсинька научился.

Федор в Центре только двоих знал: администратора по имени Ксюша и еще назвал Антонину Валерьевну. «Это самая главная. Она официально Боева, но все Забоевой называют. Потому что любой проект пробьет и, говорят, прибить, если что, может».

Начальницу я пока решила не беспокоить. Но поговорить с Ксюшей надо попробовать. Тем более Федя сказал, что болтать девушка обожает. Да и Центр реабилитации располагался удобно — всего в двух станциях метро от нашего агентства, на задворках Кузьминского кладбища.

Я ждала чего-то похожего на районную поликлинику, но местечко оказалось светлым, чистым, радостным. Перед зданием раскинулся отличный садик с фруктовыми деревьями, хвойниками, фонариками и чистыми дорожками. В фойе пахло ванилью и кофе. Из аквариума таращились горбоносые рыбы-попугаи, холодно-зеленые стены пестрели буйством красок. Судя по полной абстракции, то были картины Кандинского — или, скорее всего, пациентов.

Рыжеволосая Ксюша встретила приветливо:

— Вы к нам впервые? Чем могу помочь?

И с интересом уставилась на мои ногти, крашенные по технологии «кошачий глаз».

Легенду я придумывать не стала, сказала правду.

Хозяйка ресепшена округлила глаза:

— Обалдеть! Наш Ярик — сам — частного детектива нанял?!

— Ну, не совсем сам. Они с братом приходили. Но идея его.

— Да, Ярослав жжет, — округлила глаза Ксюша. — Сюда ходить бросил, как только Ольга ушла. Теперь еще и сыщика прислал!

Я понизила голос:

— Он подросток. Возможно, это первая любовь?

Девушка с сомнением протянула:

— У них? Любовь?!

— А почему нет?

— Потому что они другие. Аутята — то есть, пардон, больные с расстройствами аутистического спектра — они отношения вообще не умеют строить. Я уже шесть лет здесь работаю — и ни одной романтической истории. Между взрослыми пациентами — да, бывает иногда. Но чисто секс. А любовь — это ведь поговорить. Подарки. Цветы. Аутисты ничего этого не могут.

— Ладно, не любовь. Просто взрыв чувств. Гормональный бунт. Он на нее набросился, девушка, допустим, испугалась... — начала фантазировать я.

— На Ольгу-то? — наморщила нос Ксюша. — Набросился?! Да Ярик ее боялся, как огня!

— Боялся?

— Она дистанцию держала прекрасно. И рявкнуть умела. Даже Антонина Валерьевна ей замечания делала, что нельзя так орать.

— Прямо орала?

— А как не орать, когда с аутистами балет ставишь?

— Они что, правда ставили настоящий балет?!

Ксюша улыбнулась:

— Метод «Игровое время»[1] везде есть. А наш Центр — экспериментальная площадка. Здесь все можно. Если есть шанс, что больным поможет. Ольгина идея, конечно, совсем завиральной казалась, но все равно решили попробовать. Антонина Валерьевна сказала, что будет интересно связать в одно две несовместимые категории. Больные с ограниченной подвижностью — и балет. Специально под проект станки купили. Зеркала. Пианиста взяли на четверть ставки.

— И что они ставили?

— Вторую часть «Артефакт-сюиты» Фредерика Форсайта, — заученно отбарабанила Ксюша.

— Никогда не слышала, — призналась я.

— Ну... это такой очень современный балет. На музыку Эвы Кроссман-Хехт. — Понизила голос, хихикнула. — Скрип и скрежет, короче.

— И как у них получалось?

— Как на этих картинах. Авангард, — улыбнулась девушка. — Ничего непонятно. Дергаются, будто их током бьют. Хотя видно: люди очень старались.

---

[1] «Игровое время» — поведенческий метод лечения аутизма, заключается в следовании патологическим привычкам и использовании их для привлечения интереса и установления контакта.

— А Ярик — он... э... в кордебалете был?

— Нет. Звезда. Один из четырех солистов. Там две пары в главных партиях.

— Мне Федор ничего об этом не говорил, — пробормотала я.

— Думаю, он не воспринимал занятие брата всерьез. А сам Ярик стеснялся очень, — улыбнулась Ксюша. — Меня просил и всех в детали не вдаваться. Боялся — брат засмеет. Балет, мол, не мужское дело. Сам-то Федор — мастер паркура. Вот это да, это для кобелей. А балет — для девочек. Ярик очень обрадовался, когда узнал, что брат на премьеру не придет.

Я задумчиво произнесла:

— Если тут не любовь, зачем все-таки Ярику Оля? Сейчас?

— Я думаю, один из симптомов аутизма, — со знанием дела изрекла Ксюша.

— В каком смысле?

— Чрезмерная привязанность. У одних больных — к черепахе. У других — к училке. Забрали игрушку — мир рухнул, пациент в панику впал.

— Ольга ушла, насколько я знаю, внезапно? И никаких контактов не оставила? Почему?

Ксюша вздохнула:

— Про это не скажу. Мы ведь с ней так, привет-пока. Я девочка-секретарь. Типа мебели. Вам надо с кем-то из педагогов поговорить. С Лейлой, например. Они, по-моему, дружили.

— И где мне ее найти?

Ксюша взглянула в монитор:

— Антонина Валерьевна очень сердится. Говорит, что Ольга ее подставила. «Артефакт» ведь произвел фурор. Программой реабилитации с помощью балета многие заинтересовались. Англичане обещали приехать, австрийцы. А показывать им теперь нечего. Без Оли все развалилось. Никто даже подумать не мог, что она сразу после премьеры уйдет.

— Но в чем причина?

— Оля жаловалась, что смертельно ус...

— У нее сейчас сенсорные игры. Освободится через час. Но если хотите, можете прямо в классе ее подождать.

— А так можно? — удивилась я.

— У нас открытый Центр. Постоянно кто-то на стажировках, приходит, уходит. Только бахилы наденьте.

* * *

Ксюша без колебаний оставила свой пост и провела меня в класс сенсорной терапии. Спрашивать, кто я, и тем паче проверять документы никто не стал — совсем юная зеленоглазая девушка в розовом платьице (вокруг нее на креслах-подушках расположились человек пять пациентов) лишь улыбнулась, быстро сказала: «Садитесь во второй ряд!» — и перестала обращать на меня внимание.

Помещение нарядное: на подоконнике цветы, в углу комнаты умиротворенно журчит фонтанчик. Подростки, которые проходили обучение, не выглядели слишком больными. Ну, теребит мальчик все время нос, а девочка монотонно раскачивается на своем пуфе — но нынче в метро и куда бóльших оригиналов встретишь. А тема урока, на мой взгляд, годилась даже для художественного училища: юное создание учило своих подопечных различать оттенки цвета. Показывала картинки, терпеливо объясняла, что вот простой красный, а это — пурпурный, а это — алый. Азы ученики усвоили быстро, и Лейла смело отправилась в дебри. Лично я слыхом не слыхивала про цвет фарфоровой розы или азалиевый, но пациенты отбирали нужные картинки, почти не ошибаясь.

Сами, правда, говорили неохотно, но беспомощная на вид учительница сразу добавляла в свой голос стали, и дети послушным хором повторяли то слово, что она требовала. До тех пор, пока загадочный «ос-со» не превращался в «цвет острого соуса».

Как пролетел час, я даже не заметила, и слегка растерялась, когда ученики быстро разошлись, и молоденькая учительница с некоторой опаской меня спросила:

— А вы к нам откуда?

— Мне надо Ольгу Польскую найти.

Девушка нахмурилась:

— Зачем?

Я снова не стала врать:

— Ярик попросил.

— А вы ему кто?

— Я частный детектив.

Лейла рассмеялась:

— Узнаю Ярика. Никогда не сдается.

— Но *зачем* ему нужна Ольга? Какой у парня мотив?

Учительница задумчиво молвила:

— У нас тут некоторые считают — влюбился он в нее. Но лично я думаю — ничего подобного. Вы вообще знакомы с расстройствами аутистического спектра?

— Смотрела «Человека дождя».

— Это кино, — отмахнулась Лейла. — А в жизни наши пациенты мало похожи на Дастина Хоффмана. Вы знаете, что Ярик даже ходить нормально не умел? Нет, не хромал, но очень смешно подбрасывал ноги — как цапля. И головой кивал в такт каждому шагу.

— Ничего такого я не заметила.

— Вот именно. Потому что Ольга в него поверила. Многих ребят без нарушений походки отправили в кордебалет. А Ярику доверила роль солиста.

вила в кор...

Он это очень ценил. Все остальные занятия забросил — в репетиционном зале торчал безвылазно. Можете себе представить? Ноги у парня не слушаются, а он по сто, двести, триста раз делает гранд-плие! Причем Оля с ним не церемонилась. У нас строго запрещено, но она его крыла конкретно. И голень подправляла линейкой — довольно болезненно, Ярик морщился. Но терпел. И работал.

— По-моему, подходящая обстановка, чтобы парень потерял голову.

— А по-моему, он к ней просто очень привык. Часто повторял: «Мой брат и Оля». Это был его мир.

— Но почему все-таки Ольга ушла? И куда?

Лейла понизила голос:

— Я не могу выдавать чужие тайны.

— Ярик не надеется, что она вернется. Он просил только видеописьмо. Будет — насколько я *теперь* понимаю аутистов — просматривать его по сто раз в день.

Учительница подошла ко мне еще ближе:

ведь не дефектолог, медицине не училась, стажировки в специнтернатах не проходила, с больными никогда не работала, в семье у нее аутистов тоже нет. Служила в Главном театре — богема, овации, цветы. А сразу после травмы к нам пришла. Придумала свой проект удивительный. Отдавала ему все силы. Но по пятнадцать часов в день проводить с больными неспециалисту очень тяжело. Если бы постепенно включалась — привыкла. А так она просто выгорела, я считаю. Тем более что все — включая журналистов — немедленно начали требовать от нее новой постановки. Оля поняла, что больше не выдержит, и поэтому убежала. Оборвала все концы, чтобы не искали.

— Куда она скрылась?

— Не знаю.

— Знаете. — Добавлять в голос металл я тоже умела.

— Хорошо, могу предположить, — легко сдалась Лейла. — Но... это точно только для Ярика? Вы не скажете Антонине Валерьевне?

— Конечно, нет!

— У Оли был молодой человек. Близкий друг. Родом из Пскова. Они собирались пожениться. Возможно, она уехала к нему.

* * *

Отследить дальнейший трафик гражданки Польской я смогла очень быстро. Один звонок участковому (слегка в меня влюбленному) — и я уже знала, что Ольга в открытую, по своему паспорту взяла билет на поезд и отбыла — почему-то, правда, в Санкт-Петербург. Также мой любезный помощник сообщил, что девушка уже успела подать заявление во Дворец бракосочетаний города Пскова и назвал фамилию-имя-адрес ее избранника.

Я могла бы поулыбаться и попросить еще. Узнать мобильный телефон жениха, например. И, возможно, новый — уже псковский — номер Ольги. Но Паша всегда меня наставлял, что хорошим к себе отношением нельзя злоупотреблять. Начнешь безбожно эксплуатировать участкового — вообще пошлет. Или потребует расплаты — понятно какой. Я, конечно, ищу Синичкину замену, но женатых не рассматриваю принципиально.

Прежде чем звонить заказчику и докладывать о предварительных результатах, решила выяснить — а далеко ли до Пскова? Оказалось, что от Москвы чуть больше семисот километров. Туда ходят поезда (почему-то тащатся целых двенадцать часов) и летают самолеты.

Дают добро на командировки и возмещают расходы всегда клиенты. Но неужели я не могу себе позволить — в рамках собственной благотворительной программы — выложить две тысячи за верхнюю полку в купейном вагоне? А дальше я открыла сайт авиакомпании и вообще обалдела. За билет на самолет в Псков с меня попросили 888 рублей. Не всякого таксиста уговоришь за такие деньги по Москве повозить, а тут целый час в воздухе! В чем, интересно, подвох? Рейс задержат на пару дней? Возьмут тысяч пять за мой скромный дорожный рюкзак? Или нас вообще повезет дряхлый «Ан-2», а высаживать пассажиров (чтобы сэкономить на топливе и не платить аэропорту за стоянку) станут с помощью парашютов?

Никаких билетов покупать не бросилась. Посмотрела, сколько стоят в Пскове гостиницы. Не слишком дешево, но осилить можно. Однако потом вспомнила, что в адресе жениха значится не сам город, а деревня Прасковичи. Погуглила: местечко оказалось в десяти километрах от города. Река Великая, рыбалка, прогулки на катерах, конно-спортивный центр. И только что построенный микрорайон высоток, нависавших над одноэтажными домиками. За жилье там сейчас — не в сезон, в середине холодного апреля, — просили совсем гроши.

И тогда я окончательно решила: Федора даже предупреждать не буду, что собираюсь в командировку. Смотаюсь в Прасковичи, найду Ольгу, все ей объясню, попрошу записать видео. И триумфально вручу его Ярику. Получится доброе дело.

И гораздо эффективнее, чем по телефону звонить. Раз Ольга решила с прошлой жизнью порвать, может банально трубку бросить, и потом к ней не подступишься. Намного проще человека лично уболтать — когда видишь его лицо, реакции, чувствуешь настроение.

Да и просто хотелось мне съездить в командировку не по заданию шефа, а полностью в самостоятельную.

Я пока не знала, во что ввязываюсь, и радостно приобрела билет на завтрашний рейс. Звонить Паше, рассказывать о своей задумке ничего не стала. Побежала домой собираться.

Багаж по моему копеечному билету, разумеется, не полагался, ручная кладь жестко ограничивалась. Но я умею выворачиваться из любых ситуаций. Тщательно перетряхнула все свои косметические залежи. Кремы взяла — только пробники, любимый шампунь перелила в крошечную бутылочку. Лак для ногтей прихватила единственный, пудру маленькую, походную, одежды тоже самый минимум, но чтобы все предметы сочетались между собой. Одноразовые тапочки, гель для душа и кофе с чаем мне обещали хозяева апартаментов.

Ужалась до четырех килограммов с небольшим — даже меньше нормы. Однако в аэропорту мой рюкзачок ни в какие рамки для измерения габаритов не запихивали и даже взвешивать не стали. Рейс не задерживали, говорили, что очень рады видеть, и место предложили впереди, у окошка — без всяких доплат.

— Чего это вы добрые такие? — подозрительно спросила я у юного регистратора.

Тот жизнерадостно улыбнулся:

— Так праздник! Первый рейс за полгода!

— Да вы что? А почему раньше не летали?

— У них аэропорт старенький, вечно на ремонте. Да и направление не самое популярное.

Однако народу нас собрался полный самолет. И детей полно, хотя никаких каникул. Изумительно стройные девчушки деловито тащили упакованные в тканевые чехлы обручи, вальяжные подростки с теннисными сумками громко галдели. Говорливая старушка, что сидела рядом со мной, прояснила — с нескрываемой гордостью:

— У нас город спортивный! И хоккей тебе, и фигурное, и гимнастика художественная. Тренеров из-за границы даже приглашают. Гимнасточки — те, видно, в Москву на соревнования ездили. А теннисисты — к нам. В Пскове хороший клуб и турниры престижные, со всей страны на них рвутся.

Самолет (новенький суперджет) взлетел, стюардессы разнесли бесплатные соки, пилот сообщил, что мы прибудем в Кресты ровно через час.

— Прибудем куда? — опешила я.

— Аэропорт у нас так называется, — просветила бабуля. И добавила недовольно: — Нехорошее место. Три катастрофы уже было.

Я побледнела. Старушка успокоила:

— Все самолеты военные. Гражданские не падали пока.

— Это кино, — отмахнулась Лейла. — А в жизни наши пациенты мало похожи на Дастина Хоффмана. Вы знаете, что Ярик даже ходить нормально не умел? Нет, не хромал, но очень смешно подбрасывал ноги — как цапля. И головой кивал в такт каждому шагу.

— Ничего такого я не заметила.

— Вот именно. Потому что Ольга в него поверила. Многих ребят без нарушений походки отправила в кордебалет. А Ярику доверила роль солиста. Он это очень ценил. Все остальные занятия забросил — в репетиционном зале торчал безвылазно. Можете себе представить? Ноги у парня не слушаются, а он по сто, двести, триста раз делает гранд-плие! Причем Оля с ним не церемонилась. У нас строго запрещено, но она его крыла конкретно. И голень подправляла линейкой — довольно болезненно, Ярик морщился. Но терпел. И работал.

— По-моему, подходящая обстановка, чтобы парень потерял голову.

— А по-моему, он к ней просто очень привык. Часто повторял: «Мой брат и Оля». Это был его мир.

— Но почему все-таки Ольга ушла? И куда?

Лейла понизила голос:

— Я не могу выдавать чужие тайны.

— Ярик не надеется, что она вернется. Он просил только видеописьмо. Будет — насколько я *теперь* понимаю аутистов — просматривать его по сто раз в день.

Учительница подошла ко мне еще ближе:

— Антонина Валерьевна очень сердится. Говорит, что Ольга ее подставила. «Артефакт» ведь произвел фурор. Программой реабилитации с помощью балета многие заинтересовались. Англичане обещали приехать, австрийцы. А показывать им теперь нечего. Без Оли все развалилось. Никто даже подумать не мог, что она сразу после премьеры уйдет.

— Но в чем причина?

— Оля жаловалась, что смертельно устала. Она ведь не дефектолог, медицине не училась, стажировки в специнтернатах не проходила, с больными никогда не работала, в семье у нее аутистов тоже нет. Служила в Главном театре — богема, овации, цветы. А сразу после травмы к нам пришла. Придумала свой проект удивительный. Отдавала ему все силы. Но по пятнадцать часов в день проводить с больными неспециалисту очень тяжело. Если бы постепенно включалась — привыкла. А так она просто выгорела, я считаю. Тем более что все — включая журналистов — немедленно начали требовать от нее новой постановки. Оля поняла, что больше не выдержит, и поэтому убежала. Оборвала все концы, чтобы не искали.

— Куда она скрылась?

— Не знаю.

— Знаете. — Добавлять в голос металл я тоже умела.

— Хорошо, могу предположить, — легко сдалась Лейла. — Но... это точно только для Ярика? Вы не скажете Антонине Валерьевне?

бри. Лично я слыхом не слыхивала про цвет фарфоровой розы или азалиевый, но пациенты отбирали нужные картинки, почти не ошибаясь.

Сами, правда, говорили неохотно, но беспомощная на вид учительница сразу добавляла в свой голос стали, и дети послушным хором повторяли то слово, что она требовала. До тех пор, пока загадочный «ос-со» не превращался в «цвет острого соуса».

Как пролетел час, я даже не заметила, и слегка растерялась, когда ученики быстро разошлись, и молоденькая учительница с некоторой опаской меня спросила:

— А вы к нам откуда?

— Мне надо Ольгу Польскую найти.

Девушка нахмурилась:

— Зачем?

Я снова не стала врать:

— Ярик попросил.

— А вы ему кто?

— Я частный детектив.

Лейла рассмеялась:

— Узнаю Ярика. Никогда не сдается.

— Но *зачем* ему нужна Ольга? Какой у парня мотив?

Учительница задумчиво молвила:

— У нас тут некоторые считают — влюбился он в нее. Но лично я думаю — ничего подобного. Вы вообще знакомы с расстройствами аутистического спектра?

— Смотрела «Человека дождя».

— У нее сейчас сенсорные игры. Освободится через час. Но если хотите, можете прямо в классе ее подождать.

— А так можно? — удивилась я.

— У нас открытый Центр. Постоянно кто-то на стажировках, приходит, уходит. Только бахилы наденьте.

* * *

Ксюша без колебаний оставила свой пост и провела меня в класс сенсорной терапии. Спрашивать, кто я, и тем паче проверять документы никто не стал — совсем юная зеленоглазая девушка в розовом платьице (вокруг нее на креслах-подушках расположились человек пять пациентов) лишь улыбнулась, быстро сказала: «Садитесь во второй ряд!» — и перестала обращать на меня внимание.

Помещение нарядное: на подоконнике цветы, в углу комнаты умиротворенно журчит фонтанчик. Подростки, которые проходили обучение, не выглядели слишком больными. Ну, теребит мальчик все время нос, а девочка монотонно раскачивается на своем пуфе — но нынче в метро и куда бо́льших оригиналов встретишь. А тема урока, на мой взгляд, годилась даже для художественного училища: юное создание учило своих подопечных различать оттенки цвета. Показывала картинки, терпеливо объясняла, что вот простой красный, а это — пурпурный, а это — алый. Азы ученики усвоили быстро, и Лейла смело отправилась в де-

— Конечно, нет!

— У Оли был молодой человек. Близкий друг. Родом из Пскова. Они собирались пожениться. Возможно, она уехала к нему.

* * *

Отследить дальнейший трафик гражданки Польской я смогла очень быстро. Один звонок участковому (слегка в меня влюбленному) — и я уже знала, что Ольга в открытую, по своему паспорту взяла билет на поезд и отбыла — почему-то, правда, в Санкт-Петербург. Также мой любезный помощник сообщил, что девушка уже успела подать заявление во Дворец бракосочетаний города Пскова и назвал фамилию-имя-адрес ее избранника.

Я могла бы поулыбаться и попросить еще. Узнать мобильный телефон жениха, например. И, возможно, новый — уже псковский — номер Ольги. Но Паша всегда меня наставлял, что хорошим к себе отношением нельзя злоупотреблять. Начнешь безбожно эксплуатировать участкового — вообще пошлет. Или потребует расплаты — понятно какой. Я, конечно, ищу Синичкину замену, но женатых не рассматриваю принципиально.

Прежде чем звонить заказчику и докладывать о предварительных результатах, решила выяснить — а далеко ли до Пскова? Оказалось, что от Москвы чуть больше семисот километров. Туда ходят поезда (почему-то тащатся целых двенадцать часов) и летают самолеты.

Дают добро на командировки и возмещают расходы всегда клиенты. Но неужели я не могу себе позволить — в рамках собственной благотворительной программы — выложить две тысячи за верхнюю полку в купейном вагоне? А дальше я открыла сайт авиакомпании и вообще обалдела. За билет на самолет в Псков с меня попросили 888 рублей. Не всякого таксиста уговоришь за такие деньги по Москве повозить, а тут целый час в воздухе! В чем, интересно, подвох? Рейс задержат на пару дней? Возьмут тысяч пять за мой скромный дорожный рюкзак? Или нас вообще повезет дряхлый «Ан-2», а высаживать пассажиров (чтобы сэкономить на топливе и не платить аэропорту за стоянку) станут с помощью парашютов?

Никаких билетов покупать не бросилась. Посмотрела, сколько стоят в Пскове гостиницы. Не слишком дешево, но осилить можно. Однако потом вспомнила, что в адресе жениха значится не сам город, а деревня Прасковичи. Погуглила: местечко оказалось в десяти километрах от города. Река Великая, рыбалка, прогулки на катерах, конно-спортивный центр. И только что построенный микрорайон высоток, нависавших над одноэтажными домиками. За жилье там сейчас — не в сезон, в середине холодного апреля, — просили совсем гроши.

И тогда я окончательно решила: Федора даже предупреждать не буду, что собираюсь в командировку. Смотаюсь в Прасковичи, найду Ольгу, все ей объясню, попрошу записать видео. И триумфально вручу его Ярику. Получится доброе дело.

И гораздо эффективнее, чем по телефону звонить. Раз Ольга решила с прошлой жизнью порвать, может банально трубку бросить, и потом к ней не подступишься. Намного проще человека лично уболтать — когда видишь его лицо, реакции, чувствуешь настроение.

Да и просто хотелось мне съездить в командировку не по заданию шефа, а полностью в самостоятельную.

Я пока не знала, во что ввязываюсь, и радостно приобрела билет на завтрашний рейс. Звонить Паше, рассказывать о своей задумке ничего не стала. Побежала домой собираться.

Багаж по моему копеечному билету, разумеется, не полагался, ручная кладь жестко ограничивалась. Но я умею выворачиваться из любых ситуаций. Тщательно перетряхнула все свои косметические залежи. Кремы взяла — только пробники, любимый шампунь перелила в крошечную бутылочку. Лак для ногтей прихватила единственный, пудру маленькую, походную, одежды тоже самый минимум, но чтобы все предметы сочетались между собой. Одноразовые тапочки, гель для душа и кофе с чаем мне обещали хозяева апартаментов.

Ужалась до четырех килограммов с небольшим — даже меньше нормы. Однако в аэропорту мой рюкзачок ни в какие рамки для измерения габаритов не запихивали и даже взвешивать не стали. Рейс не задерживали, говорили, что очень рады видеть, и место предложили впереди, у окошка — безо всяких доплат.

— Чего это вы добрые такие? — подозрительно спросила я у юного регистратора.

Тот жизнерадостно улыбнулся:

— Так праздник! Первый рейс за полгода!

— Да вы что? А почему раньше не летали?

— У них аэропорт старенький, вечно на ремонте. Да и направление не самое популярное.

Однако народу нас собрался полный самолет. И детей полно, хотя никаких каникул. Изумительно стройные девчушки деловито тащили упакованные в тканевые чехлы обручи, вальяжные подростки с теннисными сумками громко галдели. Говорливая старушка, что сидела рядом со мной, прояснила — с нескрываемой гордостью:

— У нас город спортивный! И хоккей тебе, и фигурное, и гимнастика художественная. Тренеров из-за границы даже приглашают. Гимнасточки — те, видно, в Москву на соревнования ездили. А теннисисты — к нам. В Пскове хороший клуб и турниры престижные, со всей страны на них рвутся.

Самолет (новенький суперджет) взлетел, стюардессы разнесли бесплатные соки, пилот сообщил, что мы прибудем в Кресты ровно через час.

— Прибудем куда? — опешила я.

— Аэропорт у нас так называется, — просветила бабуля. И добавила недовольно: — Нехорошее место. Три катастрофы уже было.

Я побледнела. Старушка успокоила:

— Все самолеты военные. Гражданские не падали пока.

Я занервничала еще больше, но сели мы мягонько, аккуратно.

Аэропорт оказался двухэтажным, старельким, серым. Площадь перед ним и вовсе немощеная. А самое удивительное — ни единого таксиста, хотя по прилете куда угодно через их толпу не пробиться.

Но на одинокую автобусную остановку ни один из пассажиров не пошел, даже моя соседка-бабуля поставила на землю свою клетчатую сумку, достала телефон и просветила:

— У нас, внученька, такси дешевое. Тебе куда ехать? Давай, на твою долю вызову.

— Мне за город. В Прасковичи.

— Тогда рублей двести возьмут. Не дорого тебе?

— Нам бы в Москве такие цены, — вздохнула я.

И уже через полчаса обживалась на восьмом этаже очаровательной студии: чистенько, все предметы друг другу под цвет, вместо типично-старинных гостиничных теликов на стене — огромный экран, с лоджии умиротворяющий вид: солнце искрит о воды реки Великой.

Однако желание полюбоваться пейзажем, пощипывая виноград из вазы с фруктами (подарок от хозяина квартиры), я подавила. Пусть путешествую за свой счет, но рабочий день пока в разгаре. Нужно побыстрее найти Ольгу, взять с нее видео — да улететь домой. Если буду действовать оперативно и завтра вернусь в Москву, может, и от

Паши смогу скрыть свою самодеятельность (каковую босс наверняка не одобрит).

Я нашла на карте Прасковичей дом Георгия Климко — Олиного жениха. Располагался он по другую сторону шоссе, в частном секторе. И только сейчас (каюсь, весьма запоздало) меня осенило. А с чего я взяла, что найду Ольгу там? Да, ее суженый прописан в этой деревеньке. Но жить они могут совсем в другом месте. И вообще, из Москвы Оля отправилась не сюда, а в Питер. Может, там парочка и проводит время? Или, например, в Эстонию махнули — до нее отсюда полчаса езды.

«Да, Римма. Тебе все-таки пока нужно мужское руководство», — самокритично подумала я.

Однако далее терзать себя упреками не стала. Отработаем для начала адрес прописки — вдруг повезет? Только идти туда надо немедленно, иначе еще больше издергаюсь.

Я прихватила из вазы с фруктами яблоко — съесть на ходу — и отправилась искать Угловую улицу, дом один, официальное место жительства Георгия.

Солнце пыталось греть по-весеннему, но ветрище задувал неистово. От реки Великой веяло холодом. У лошадей, что паслись в загоне напротив моего дома, лихо развевались гривы, я натянула капюшон и вцепилась в него обеими руками.

Асфальт имелся только в «городской» зоне Прасковичей, а в частном секторе началась разбитая грунтовка. Ни единого прохожего, во дворах мечутся, грозно гавкают собаки. И псы, чем дальше в глубь деревни, тем почему-то больше. Первой меня облаяла дворняжка ростом до колена, за ней последовали овчарки, потом ротвейлеры. А отстоящий метров на пятьсот дом номер один по улице Угловой и вовсе охраняли три высоченные, похожие на грациозных танцовщиц, борзые собаки. Георгий, что ли, охотник? Или это у него питомник?

Я подошла к калитке. Одна из собачек встала на задние лапы, легко перегнулась через забор и посмотрела мне в глаза. Молча, но настолько неласково, что храбрый частный детектив мигом отступила на шаг.

Из окна одноэтажного дома высунулось старушечье лицо, беззубый рот прошамкал:

— Вам кого?

— Мне нужна Ольга Польская! — выкрикнула я.

Получилось громко. Борзая собака недовольно зарычала. А бабка — еще громче — заорала в ответ:

— На работе она!

— Где конкретно?

— На ра-бо-те! — повторила старуха со всей мочи.

Бабка, похоже, приняла меня за глухую.

Собак громкие звуки явно раздражали — теперь все три борзые встали на задние лапы, облокотились о забор и всем своим видом показывали, что легко его перепрыгнут и растерзают меня, если осмелюсь молвить хоть слово.

Но я жалобно проголосила:

— А где Оля сейчас работает?

На бабкино лицо легла тень подозрения. Она, несомненно, вознамерилась устроить мне допрос.

Чтобы его избежать, я легонько пнула ногой в забор. Борзые немедленно залились очень громким хоровым лаем.

Хор оказался настолько мощным, что вздрогнула даже хозяйка. Зажала уши, рявкнула:

— В столовке нашей!

И захлопнула окно.

— Ура! — шепотом произнесла я.

Оля все-таки здесь.

Но какой вираж для бывшей балерины Главного театра и постановщика успешного спектакля! Чем, интересно, она занимается в общепите деревни Прасковичи? Лепит пирожки? Строгает салаты?

Одну столовую я видела, когда ехала из аэропорта — занимала она второй этаж довольно унылого с виду здания, на первом — недорогой сетевой магазин. Я еще подумала, что алкоголикам очень удобно брать спиртное внизу, а потом за борщом и салатиком распивать.

В Прасковичах, возможно, имелись и другие точки общепита, но оперативное чутье, вдохновленное предыдущей победой, просто вопило: я найду Ольгу именно там.

Пока дошла до столовой, задубела до состояния Снежной королевы. В голову лезла крамола: прикупить шкалик водочки, выпить залпом под горячий борщ. Впрочем, грозное объявление, что приносить и распивать запрещено категорически, строго и в любых обстоятельствах, охладило мой пыл, а также напомнило, что я в деревне Праско-вичи, а не в детективе Чейза, где главный герой постоянно смешивает себе коктейли.

Народу в обеденном зале не оказалось, за стой-кой тоже никто не стоял. Телевизор неизвестно кому показывал Машу с медведями.

— Хозяева! — все еще дрожащим от холода го-лосом позвала я.

И наконец увидела *предмет вожделения* Ярос-лава.

Бедный мальчик. Теперь я его понимала. Эти бархатные, как у лани, глаза, пышный шелк волос, гордая шея, несомненно, сводили с ума многих, не только подростков.

— Вы пообедать? — спросила меня красавица.

— Вы Ольга? — ринулась я с места в карьер.

Она опасливо оглянулась в недра кухни (я за-метила там мощную мужскую фигуру), дала мне меню, громко произнесла:

— Выбирайте!

И перепуганным шепотом добавила:

— Кто вы такая?

Я открыла меню и тоже начала говорить то в полный голос, то тихо:

— Пожалуйста, салат из капусты. *Я частный детектив, меня прислали братья Дорофеевы.* Суп с фрикадельками. *Ярик очень переживает, что вы ушли.* Бефстроганов с гречкой. *Он понимает, что вы не вернетесь, и очень просит записать для него видеописьмо. Просто на память.*

— Бефстроганов кончился. Возьмите пельмени, сами делаем.

Лань продолжала смотреть затравленно, будто перед ней тигр как минимум. Пробормотала:

— *Как вы нашли меня?*

— *Вы уехали по именному билету и подали заявление во Дворец бракосочетаний. Но в Центре реабилитации никто не узнает, где вы. Я этого даже Дорофеевым не скажу. И тем более Антонине Валерьевне.*

— *Ах, при чем здесь она!* Соус к пельменям — сметана или майонез?

— Майонез. И еще компот.

— *Ладно, только ради Ярика. Ешьте — а потом сразу идите в деревню Загорье. Отсюда направо, примерно километр. Там спуск к реке, мостки. Встретимся через час. С вас триста сорок два рубля.*

Звонко щелкнула касса. Из кухни показался громадный мужчина, искоса взглянул на меня, потом на Ольгу. Спросил:

— Калькулятор опять не работает?

Она улыбнулась — хорошо поставленной, театральной улыбкой.

— Батарейка села, Гошик! Но я посчитала в уме!

Мужчина положил лапищу на худенькое плечо испуганной лани, строгим тоном обратился ко мне:

— А вы в наши края зачем?

— Лошадей люблю и рыбалку, — лихо соврала я.

Он взглянул с сомнением, но ничего не спросил. Однако и Ольгу больше из кухни не выпускал. Сам принес мне обед, выслушал похвалы, убрал пустые тарелки.

— Вы здесь только вдвоем работаете? — поинтересовалась я.

— В обычные дни да. Когда свадьбы или поминки — с помощниками.

Я еще раз оглядела столовку. Потертый кафель, скучные стены. В открытую дверь кухни видно, как Ольга в перчатках по локоть моет посуду — совсем каменный век.

«По-моему, ставить балеты в Москве — пусть даже с аутистами — гораздо интереснее», — подумалось мне.

Но потом огромный и суровый Георгий подошел к своей невесте, обнял ее — и она отозвалась такой счастливой улыбкой, что мне сразу стало понятно: грязные тарелки в Прасковичах — ерунда, когда тебя любят.

* * *

С раннего детства Ольга привыкла бояться, но не показывать вида. Страх шел с ней рука об руку с четырех лет, когда малышка начала посещать уроки танцев. Прочие девочки плясали для удовольствия. Но Олина мама прочила дочке карьеру балерины и постоянно пугала, что в хореографическое училище при Главном театре страны ее не возьмут.

Дальше — когда все-таки взяли — тоже постоянно висела угроза. Не отберут на отчетный концерт, поставят последней в ряду, переведут в миманс, отчислят за бесперспективность, высокий рост или лишний вес.

Звездных задатков Оля не демонстрировала, но подружек невесты и всевозможные па-де-катр танцевала регулярно. Однако страх не отступал. Известно всем: даже в кордебалет в Главном театре конкурс. И в Станиславского не всякого возьмут. Приезжие — те хотя бы домой могут вернуться с престижными «корочками», а ей куда? Преподавать танцы в Доме культуры?!

В Главный театр Оля все же попала. Но здесь умели пугать куда круче, чем в училище: не смей поправиться, не вздумай загорать, не дай бог тебе забеременеть. Угроза висела над всеми, но Ольга, пожалуй, единственная вообще не могла расслабиться. Плохо спала ночами, грызла на нервной почве ногти. Подружки откровенно над ней посмеивались, тогдашний молодой человек пенял, что у нее тревожно-мнительный характер. Мама внезапно вышла замуж и теперь третировала дочь на пару с супругом. Ольге пришлось съехать от «молодоженов» в съемную квартирку на окраине. Пару дней она просто радовалась, а потом появился новый страх: что делать, если уволят? Возвращаться в родительское гнездо?!

Однажды зимой девушка шла вдоль дома, и ей на правую стопу с крыши грохнулась глыба льда. Боль адская, хотя и в жестких ботинках была. Ее окружили прохожие, стали наперебой советовать: вызывать «Скорую», брать справку, подавать на нерадивых дворников в суд, требовать компенсации. Но Оля врачей боялась с детства, да и сутяжничать не умела. Поэтому просто заплакала и поскакала на одной ноге домой.

Пару репетиций можно было пропустить безо всякой справки, и она старательно лечила ушиб мазями, ванночками и льдом. Но когда на третий день пальцы распухли и посинели, пришлось все-таки сдаваться в травмпункт. Там сделали снимок, вынесли вердикт: перелом. Перспектива мрачная: сначала три недели в гипсе, дальше месяц абсолютно без физических нагрузок, а потом — как пойдет. «Или будете танцевать, но через постоянную боль. А может, встанете на пуанты и сразу опять сломаете», — предрек доктор.

На этот раз Оля поняла: если бояться еще и того, как поведет себя ее нога, она просто не выдержит.

Позвонила в отдел кадров и объявила, что сразу, как закроет больничный, уйдет по собственному. А пока валялась дома перед теликом, читала и гадала, чем заниматься дальше.

Очевидный путь — учить детей — ее не привлекал. Малышовые бальные танцы раздражали атмосферой — слишком много девочек на нескольких надменных мальчишек, слишком амбициозные родители. А вести после Главного театра обычный школьный кружок не позволяла гордыня.

Вид из окна ее съемной квартирки настраивал на философские мысли: в отдалении — кладбищенские кресты, перед ними — Центр реабилитации больных аутизмом. И сад, примыкающий к заведению, можно рассмотреть, и все подходы. Оля от скуки и под стать мрачному настроению полюбила сиживать на подоконнике, наблюдать. Как с виду абсолютно нормальные дети внезапно падали в дикой истерике. Как внимательно они слушали учителей, когда занятия шли во дворе, а потом вдруг все, дружно, взрывались болезненным смехом или слезами.

А еще ее очень расстраивало, что больные постоянно шли-стояли-сидели с глазами долу и ужасно от этого сутулились. Хотя серьезных мышечных или костных нарушений у страдающих аутизмом обычно не имелось, Оля изучила этот вопрос — просто от скуки. И задумалась: вдруг им помогут обычные балетные упражнения? Улучшат координацию и осанку, заставят гордо смотреть вперед?

Когда сняли гипс, первым делом она отправилась в Центр. Втайне ждала — ей вежливо откажут. Но дружелюбная девушка с ресепшена немедленно отвела к начальнице, Антонине Валерьевне, а та сбивчивую теорию бывшей балерины даже до конца не дослушала. Сразу приняла решение:

— Приходите и пробуйте!

Оля уже привычно ждала, что сейчас ее начнет колотить дрожь, однако страха — впервые в жизни! — не ощутила. Только огромное любопытство и сильнейшее желание доказать свою теорию. Помочь больным детям. Не подкачать.

И у нее пошло — вопреки недоверию родителей и насмешкам на специализированных форумах. Уже через неделю на программу «балет» (она категорически отказалась назвать свой курс просто «танцами») записались восемь человек. А к моменту, когда закончился больничный, Оля была занята по семь часов в день, и Антонина Валерьевна предложила ей зарплату — причем больше, чем платил Главный театр страны!

— Откуда такие деньги? Вы разве не государственная организация? — удивилась Ольга.

— Государственная. Но у нас большие дотации и много спонсоров, — улыбнулась начальница. — А еще — я в тебя верю.

— Ну... ребята, и правда, стали лучше ходить...

— Это мелочь. Оля, — Антонина Валерьевна заглянула девушке в глаза, — я жду от тебя другого.

— Чего же? — растерялась она.

— Поставь с ними балет.

— Как?!

— Не «Лебединое озеро», конечно. Что-нибудь авангардное. Чтобы никто ничего не понял.

— Вы знаете, по каким критериям отбирают в балет?

— Правила для здоровых здесь не работают. Если есть театр слепоглухих, почему больные аутизмом не могут поставить балетный спектакль?!

И опять Ольга привычно ждала: что сердце екнет, затрепещет, забьется в панике. Однако ничего подобного не случилось. Ей не терпелось поскорее вернуться домой и ринуться в виртуальную балетную библиотеку.

Не успела выбрать партитуру и начать среди пациентов кастинг, сразу и в личной жизни подкрались изменения. Познакомилась с Гошей — очень банально, в супермаркете. Он спросил, для чего Оля покупает пророщенную фасоль и подойдет ли сей продукт на гарнир к сосискам. Девушка прежде терялась, когда к ней обращались пикаперы, но могучему, с добрыми глазами, парню весело улыбнулась и посоветовала взять что-нибудь более калорийное. Пока вместе собирали ему тележку, а ей корзинку, Оля (абсолютно спонтанно) дала незнакомому витязю телефон. Он проводил ее до дома и серьезно сказал: «Я теперь твоим личным псом буду. В любое время зови. И служить буду. И рвать — за тебя».

И сердце бывшей трусишки растаяло окончательно.

Римма

До деревни Загорье пришлось идти по обочине шоссе — даже намека на тротуар не имелось. Ветер грозил перерасти в ураган и пробирал настолько, что ощущение — будто Арктику покоряешь. Ох, до чего я проклинала свою легкую куртку, безбагажный билет и холодный апрель!

Хоть какой бы магазинчик рядом! Ватник купить или одеяло! Но места совсем глухие, даже продуктовых нет, и почти все дома — с темными окнами. А если еще и Ольга не придет?

Но она пришла. Высокие резиновые сапоги на меху не мешали ей шагать от бедра, и даже в залатанном военном ватнике она выглядела безупречно красивой.

Ольга с сожалением взглянула на мою практически бумажную куртяху. Вздохнула:

— Нашли вы, в чем приехать!

И достала из внутреннего кармана военную, защитного цвета, флягу.

Мы стояли на мостках, у ног пестрела ледяной серой рябью река Великая. Ледоход уже прошел, но в воде тут и там еще вспыхивали яркими звездами осколки льда.

Вечерело, ярко-красное солнце падало в воду, ветер с сумасшедшей скоростью гнал облака, плел из них узоры.

Оля виновато проговорила:

— Я бы вас домой пригласила, но Гошу расстраивать не хочу. Он про аутистов больше слышать не может.

— Так пойдемте ко мне, я студию сняла, тут совсем рядом.

Но девушка покачала головой:

— Здесь не Москва. В чужую квартиру зайдешь — мигом доложат. С миллионом деталей. А Гошка ревнивый у меня. Так что давайте потерпим. Я специально для вас коньяк принесла. Держите. — Она протянула мне флягу.

Частный детектив никогда не станет пить с фигурантом. Тем более его спиртное. Но я задубела настолько, что с легкостью нарушила профессиональный кодекс. Послушно сделала глоток, потом второй. Лучше уж *употребить* на работе, чем совсем несолидно стучать зубами.

— А дома — сразу в горячую ванну, потом теплые носки и в постель, — заботливо проинструктировала Ольга.

— Д-давайте к делу, — попросила я.

— Давайте, — согласилась она. — Я так поняла, Ярик ждет от меня видеописьмо? А что он хочет услышать?

— Не знаю, — улыбнулась я. — Оля. И видео. Все, что сказал.

— Бедный парень, — вздохнула балерина. — Хорошо. Я знаю, чем его порадовать.

Храбро скинула ватник. Встала на фоне заката в одном легком свитере. Щеки сразу зарозовели, волосы черным шлейфом пенились за спиной.

Ольга, несомненно, являлась не просто танцовщицей, но артисткой. Она не говорила никаких особенных слов, но обращалась к Ярику — словно к единственному, любимому, неповторимому, лучшему в мире. И закончила красиво:

— Я никогда больше не вернусь в Москву. Но каждый день буду о тебе помнить. А каждый вечер — возносить молитву за твое здоровье и счастье!

Ярик, несомненно, будет под впечатлением. Но устроит ли его — просто часами пересматривать письмо? Или он сорвется в Псков, чтобы хотя бы сидеть у ног своей королевы?!

«И будет у нее пять псов. Ярослав, Гоша и три борзых», — хмыкнула я про себя.

Когда Ольга закончила говорить, я зааплодировала. А потом сразу подала ей ватник и флягу.

— Ему понравится? — улыбнулась она. — Уходим отсюда?

Но я покачала головой:

— Нет.

— Почему? — нахмурилась девушка. — Вы говорили, что вам только письмо нужно...

— А еще я хочу — лично для себя — знать причину, почему вы поменяли балет на столовую в Пскове.

— Разве непонятно? Я влюбилась. Георгий давно звал меня замуж, но он терпеть не может Москву. И считает, что мне она тоже не слишком полезна. Пусть Ярик и вся моя труппа — удивительные люди, но я ужасно устала от их *особенностей*. Я не хочу больше ставить с ними балетов!

— Оля, это, конечно, не мое дело... — вздохнула я. — Но вы постоянно облизываете губы и трете ладони. Значит, есть еще какая-то причина. Скажите мне ее.

— Никаких больше причин нет! — прокричала балерина возмущенно и фальшиво.

Все-таки не очень она актриса.

— Что вас подтолкнуло так внезапно сорваться? Даже двух недель по кодексу не отработали, телефон поменяли. Это не для Ярика и тем более не для Антонины Валерьевны. Я просто хочу понять.

— Ох... — Она устало опустилась на мостки.

Вечер уже накрыл деревню Загорье серой шалью. На реке Великой зажегся огонек маяка.

— Зачем вам это знать?

— Федор боится — вдруг вы уехали из-за Ярика? Вдруг он вас попытался обидеть? Он подросток, сильный, крепкий, гормоны бурлят. И за изнасилование — аутиста не посадят.

— Да, Ярик пылок, — улыбнулась она. — Но проблема не в этом. Я умею отгонять кобелей.

— А в чем тогда? — не отставала я.

— Ладно. Дайте выпить. — Взяла флягу и решительно отхлебнула глоток. — Я расскажу.

* * *

Работать и *не бояться* оказалось чертовски приятно. Чего, действительно, волноваться?

Как шутила рыжая Ксюшка с ресепшн их Центра, ниже богадельни все равно не сошлют.

Да и возможная критика вообще не волновала. Когда Ольга затеяла постановку чрезвычайно сложной в исполнении «Артефакт-сюиты», она понимала: никто не будет ждать от ее подопечных даже намека на настоящий *балетный рисунок*. Нужны только драйв и кураж — а этого у ее труппы неожиданно оказалось в избытке. Плюс музыка Эвы Кроссман-Хехт (для обычного человека тяжелая, истеричная) почему-то действовала на ее танцоров магически. Готовы были слушать ее живьем, в записи, пять раз в день, десять, целиком и отрывками.

Никогда не знаешь, как жизнь повернется.

Каждый раз, когда выходила в изученной досконально партии виллисы из «Жизели» — тряслась отчаянно. Зато первая для нее лично (и в мире!) постановка балета для аутистов шла легко и приятно.

Для премьеры Антонина Валерьевна сняла Дом культуры, назвала журналистов, телевидение, директоров благотворительных фондов. Небольшой зал ломился — даже родители артистов поместились не все.

Пианисту Ольга строго наказала: ни в коем случае не пытаться, как положено в нормальном балете, подстраиваться под танцоров — но просто играть. А детям приказала: даже если забыл партию от начала и до конца — все равно двигаться. Сама она тоже вышла на сцену — в роли *Другой*. В Главном театре страны эту роль только примам доверяли, но Ольга под восхищенно-влюбленными взглядами своих артистов чувствовала, что ей бы сегодня и Плисецкая аплодировала.

Главное — кураж. Его они все поймали.

Самая необычная в мире «Артефакт-сюита» произвела фурор.

О ней рассказали вечерние новости на всех каналах, Интернет гудел, печатные издания восторгались. А рано утром Оле позвонили — она, уставшая и возбужденная после премьеры, забыла выключить на телефоне звук.

Девушка сонным голосом отозвалась:

— Алле?

— Убирайся отсюда со своими психами! — грубо рявкнули в трубку.

Ольга подскочила в постели. Запоздало посмотрела на определитель номера: *скрыт*.

Постаралась успокоиться, глубоко подышать. Выпила кофе. А когда выходила из квартиры, нога угодила во что-то склизкое. Дохлая, с размозженной головой крыса. Прямо под дверью.

Завизжала. Вернулась домой, тщательно вымыла обувь. Сменила колготки. Едва пришла на работу, бросилась к Антонине Валерьевне. Та взглянула в ее перепуганное лицо и сразу спросила:

— Дерьмо под дверь подбросили?

— Н-нет. К-крысу, — пробормотала девушка. — А от-ткуда в-вы знаете?

— Какой еще может быть реакция на удачную премьеру! — светски улыбнулась начальница. — Это хейтеры. Всегда оживляются, когда у нас что-то новое и удачное.

— Но кто они? И почему?!

— Можешь в Интернете посмотреть, — хладнокровно отозвалась Антонина Валерьевна. — Сторонники евгеники. Считают, что аутисты позорят и портят нацию. Их сайты закрывают за экстремизм, но они с новых выныривают. На самом деле просто подростки и придурки. Не бойся. Ничего они тебе не сделают.

— Но адрес мой узнали!

— Подумаешь, сложность! Если ты напротив Центра живешь!

— Значит, они следили за мной?!

— Ольга, прекрати истерить, — повысила голос начальница. — И помни простую истину. Если собака лает — она не укусит.

— Вам хорошо, вы смелая... — жалобно произнесла Оля.

Вышла из кабинета начальницы и немедленно позвонила Георгию. Жених только неделю назад уехал в Псков — помощники с руководством столовой не справлялись, — но выслушал ее и обещал примчаться завтра же.

— Ой, Гош, не надо, — смутилась девушка. — Шефиня говорит, они безопасные.

— И что? Даже просто пугать тебя я тоже никому не позволю!

«Какой он хороший! — наполнилось теплом сердце. — Одну только ночь пережить, а завтра Гошик из любого хейтера отбивную сделает».

День выдался суматошный. Родители пациентов то и дело прорывались благодарить, приезжали пропустившие премьеру журналисты, а часов в пять позвонила начальница, триумфальным голосом молвила:

— Главный театр страны на сегодня нам двадцать билетов выделил. На «Баядерку», в партер. Там номинал — пятнадцать тысяч!

— Знаю, — усмехнулась Оля, еще недавно танцевавшая в третьей вариации картины «Тени».

— Штук десять я нужным людям раздам, — деловито произнесла Антонина Валерьевна, — а остальные ты забирай.

— Зачем они мне?

— Артистов своих сводишь.

— Да они не выдержат «Баядерку»! Сложный, длинный балет.

— Ты что, не понимаешь? Они *должны* сходить.

— Ну, пусть идут с родителями!

— Нет. Тут дело практически *политическое*. Они должны быть со своим постановщиком. С тобой.

— А что я делать буду, если хотя бы один — в незнакомой обстановке — мне истерику устроит?! Во время спектакля?!

— Брось. Они тебя слушаются.

И повесила трубку.

«Вот мне радость! — сердито думала бывшая балерина. — Еще недавно сама танцевала, а теперь инвалидов *выводить*. Да еще в партер, всей труппе на смех».

Но спорить с Антониной Валерьевной — в Центре все знали — категорически нельзя. Поэтому Ольга немедленно прекратила занятие по растяжке и побежала составлять список. Надо взять самых спокойных.

Ярик — девушка, конечно, понимала, что подросток в нее влюблен — в число благонадежных не входил. Но она решила рискнуть. Все-таки солист и по натуре обидчивый. Парень обрадовался, но попросил:

— Федя. Не говорить.

— Почему?

Он взглянул жалобно:

— Смеяться.

— Ладно, — улыбнулась она.

Впрочем, обзванивала родственников Ксюша, и что конкретно надо сказать Федору, Ольга уточнить забыла.

Мучиться в метро не пришлось — Центр выделил микроавтобус. Пока ехали, балерина надрывала голос, рассказывала, *что нельзя*. В конце спича непедагогично пообещала:

— Кто будет блажить — лично врежу. Линейкой по икрам.

Все ее сегодняшние подопечные балетом занимались и болезненный удар знали. Поэтому в театре вели себя поскромнее обычных школьников, что шуршали во время действия фольгой шоколадок и подглядывали в телефоны.

Во втором действии Оля позволила себе расслабиться. Никию танцевала одна из самых неприятных солисток, и когда та после укуса змеи билась в конвульсиях, отставная балерина представляла, что более удачливая соперница по театральным подмосткам умирает в реальности. (А ее собственные танцоры принимали спектакль за правду и дружно всхлипывали.)

В последнем антракте Ольга повела свою команду в парадный зал. Показала ребятам, насколько прихотливо разрисован здесь потолок. Аутисты обожают разглядывать узоры, и воспитательница думала ненадолго отвлечься, самой понаблюдать за толпой.

И вдруг услышала:

— Сдохни, гадина!

Вздрогнула, резко обернулась.

За спиной — молодая, хорошо одетая пара. Девушка в коктейльном платье, парень в костюме. Оба смотрят с удивлением: что, мол, дергаешься?

— Вы что-то сказали? — обратилась Ольга к молодому человеку.

Тот обернулся к своей спутнице, развел руками. Девица желчно молвила:

— О чем нам с вами говорить?!

И потянула спутника прочь.

Оля растерянно смотрела им вслед. Послышалось? Но парень вдруг на долю секунды обернулся. Резким движением провел ребром ладони по шее — мол, зарежу. И снова ласково склонился к зазнобе.

Балерину начала колотить дрожь. Подошла к своим танцорам, очень фальшиво и бодро спросила:

— Ребята, вы не устали? Третье действие длинное. Может, домой пойдем?

— Нет! Нет! — дружно возмутилась группа.

И снова хлюпала носами, когда Солор безнадежно пытался поймать тень своей погибшей возлюбленной. А Ольга чувствовала, как весь страх, что копился с четырех лет и лишь ненадолго ее отпустил, навалился с новой, сокрушительной силой.

Всю ночь она не спала.

Когда в шесть утра приехал Георгий, чемоданы были уже собраны.

Ольга попросила жениха купить билеты на одиннадцатичасовый «Сапсан» до Питера. Потом позвонила квартирной хозяйке, сказала, что съезжает сегодня. Затем побежала в Центр. К Антонине Валерьевне идти не решилась — оставила заявление Ксюше.

В три пополудни они уже были в Питере. Гулять по Северной столице не стали — сразу пересели на «Ласточку» и отправились в Псков.

Гоша всю дорогу переживал, что Оля испугается его убогого домика, суровой бабушки, трех громадин — борзых собак. Но невеста заверила, что с ним она больше никого и никогда бояться не будет.

Римма

Нет ничего в мире лучше горячего душа. Я включила абсолютный кипяток, но все равно пару минут меня продолжала бить дрожь. А потом — наступила полная эйфория. До чего приятно возлежать после трудного дня под пушистым одеялом на мягких простынях! Ощущать свое тело теплым, чистым и (чего зря скромничать) красивым! Щипать виноград из вазы с фруктами. И смотреть в приглушенном свете торшера трогательный индийский фильм на огромном экране.

Я чувствовала себя великолепно. Фигурант найден, задание выполнено, затраты минимальны. Чего еще можно желать?

Единственно, Ольгин рассказ — о дохлой крысе под дверью, об угрозах — меня слегка взволновал.

Впрочем, чего теперь за нее беспокоиться? Балерина сбежала, находится в семистах километрах от Москвы, под охраной жениха, суровой старухи и трех борзых собак.

Деревню Прасковичи накрыла тьма, но оказалась она не такой черной, как в это же время в Москве. Чувствовалось, что Питер с его белыми ночами неподалеку. Терпеть не могу спать, когда в комнате светло. Я на секунду выпрыгнула из постели, задернула плотные шторы. Теперь все готово к тому, чтобы не выбираться из кровати как минимум ближайшие десять часов. Устала и заслужила. Даже волосы укладывать не буду. Ногти у меня сейчас синие с черной окантовкой, под такой окрас живописный беспорядок на голове очень даже пойдет.

Индийские страсти на экране медленно, но верно нагоняли зевоту, я взяла пульт и никак не могла решить, что делать дальше. Погонять каналы еще или просто выключить телевизор? А может, позвонить Федору? Похвастаться своими успехами? Или пока промолчать? Вернуться в Москву, пригласить в офис и предъявить ему Ольгино письмо?

Но тут сомнения разрешились сами собой. Зазвонил мобильник. Мой заказчик, легок на помине. Уверенный в себе парень. Не стесняется дергать в десять вечера.

Я отозвалась — нарочито бодрым голосом:

— Алло.

— Римма, вы где? — Его голос звучал сипло, почти панически.

— В Прасковичах, — ляпнула я.

— Это что такое? — растерялся он.

— Деревня. Под Псковом, — отчиталась я.

И страшно на себя разозлилась. Паша всегда меня учил, что не надо выдавать лишнюю информацию. Но я никак не могла избавиться от бэкграунда секретарши: спрашивают — надо отвечать.

Федор, к счастью, не расспрашивал, зачем меня понесло в Псков. Даже, по-моему, вообще информацию не воспринял. Убитым тоном произнес:

— У вас телевизор рядом?

— Да.

— Включите.

— Зачем?

— А вы что, ничего не знаете еще?

Мне показалось — не прошибаемый на вид паркур-мастер на грани истерики.

— О чем я должна знать? — И спокойно уточнила: — Какой канал?

— Любые новости.

Железный Федор всхлипнул. Пробормотал:

— Посмотрите пока. А я... я вам позже перезвоню.

В трубке запищали гудки. Я отшвырнула телефон, щелкнула кнопкой пульта и сама не заметила, как вцепилась зубами в свой идеально накрашенный ноготь.

Пятью часами ранее

Москва

Небо весь день злилось и хмурилось, но прогноз дождя не обещал. Российским сайтам с погодой Дик не очень-то доверял, однако иностранные тоже клялись: будет пасмурно, однако сухо.

Он вышел на ресепшен и сообщил Ксюше:

— Мы сегодня пойдем на пленэр.

— Very good[1], мистер Саймон! Ten people reg... записано, короче. Я приготовлю мольберты и стульчики.

Дик улыбнулся. Рациональная Ксюша считала: коли имеется *бесплатный* американец, надо обязательно практиковать с ним английский. Поэтому помог:

— are registered. Это страдательный залог.

— Ten people are registered[2], — старательно повторила девушка. — Спасибо, Дик. Ты классный!

Ричард Саймон работал в Центре реабилитации уже второй год, давно успел и русский непло-

---

[1] Очень хорошо *(англ.)*.

[2] Десять человек зарегистрировано *(англ.)*.

хо выучить, и к реалиям привыкнуть. Многое из того, что прежде считал национальными причудами, понял и принял. Начал носить дома тапочки, перестал всем подряд улыбаться, искренне полюбил кроваво-красную мешанину под названием борщ. Но некоторых вещей понять не мог никак. Причем захват Крыма и скользкая плитка вместо нормального асфальта на улицах раздражали его куда меньше, чем то, как на Руси относились к инвалидам. В СМИ любили писать про инклюзивное обучение, безбарьерную среду. Однако на деле парковки у самого входа в магазин занимали наглые джипы безо всяких опознавательных знаков на заднем стекле, пенсия по нетрудоспособности редко превышала сто долларов. А главное — даже интеллигенты, даже благотворители, не говоря о простом народе, дружно считали: больной человек — второй сорт. Люди в колясках на улицах практически не появлялись. И дело не только в отсутствии лифтов и пандусов. Инвалиды, несомненно, просто стыдились. Стыдиться своего недуга, какая дикость! Но что им оставалось? Нигде в мире Ричард не встречал этого особого, одновременно надменного, любопытного и жалостливого взгляда, каким в России смотрели на *других*. И если бы просто смотрели! Американец иногда водил своих подопечных на экскурсии в музеи и каждый раз вздрагивал, когда приличная с виду публика шипела им в спину про уродов и отбросов. И тем более не мог понять, почему сайт, где призывают «очистить мир от человеческого хлама», не ликвидируют навсегда. Почему подростки швыряют в его пациентов бомбочками с водой, а полиция никак не реагирует?! Как на форуме обычного спортклуба могут всерьез писать, что неполноценных надо кастрировать, дабы пресечь распространение дефектных генов?!

Почему в службе 911 даже слушать не захотели про дохлую кошку под его дверью, наконец?!

Начальница Центра реабилитации Антонина Валерьевна говорит, что это «национальное сознание». И чтобы изменить его, нужны десятилетия. Сам Дик считал: достаточно влепить подростку-хулигану год колонии — остальные поостерегутся. Шефиня посмеивалась:

— Ричард, не будьте наивным. У нашей полиции есть дела поважнее.

Да, он знал. Разгонять митинги, часами ждать в засаде, пока у водителя в пробке не выдержат нервы и он вырулит на обочину.

Лейла, его русская коллега и подруга, говорила:

— Не пытайся изменить наш мир, Дик. Иначе сам свихнешься. Просто делай, что можешь.

Он покорно кивал — и старался изо всех сил.

Образование у него было серьезное: магистр искусств, дипломированный дефектолог плюс специализация в области арт-терапии.

Ричард знал: больным с расстройствами аутистического спектра очень легко выплескивать на холст свои фантазии, но крайне сложно рисовать *то, что видишь*. Однако реальные картины очень способствовали улучшению общего состояния.

Поэтому он не слишком радовался абстракциям. Упорно добивался от учеников сначала правдивого изображения яблока. Потом простенького натюрморта. А сейчас, когда проработал в Центре реабилитации больше года, его подопечные уже пейзажи рисовали. Абсолютно реалистичные.

Сегодня за полчаса до занятия Дик вышел в сад. Глубоко вдохнул сырой и влажный воздух.

Надо предложить ребятам challenge[1], с каким не всякий настоящий художник справится. Весна приближается, но все никак не начнется. Природа замерла в предвкушении. У вишни пока ни единого листика, но почки ощутимо набухли. Смогут ли ребята передать это *предчувствие тепла?*

— Дик, где вам стульчики расставить? — выйдя на порог, крикнула Ксюша.

— Спасибо, я сам.

Еще одну русскую реалию усвоил: даже если девушке по должности *положено* таскать тяжести, мужчина должен, по возможности, брать ее физический труд на себя.

К четырем все было готово. Ученики, счастливые от вольного воздуха и предвкушения интересного урока, обступили учителя. Ричард очень медленно, короткими фразами, объяснил задачу.

— Как видеть рисовать? — уточнил самый непослушный из группы, Тема.

— Нет, — возразил американец. — Рисовать строго как есть.

---

[1] Вызов *(англ.).*

— Скучно, — наморщил нос мальчик.

— Возьмешь потом домой и доработаешь. Хоть космический корабль пририсовывай. На дереве.

Обычные школьники бы рассмеялись. Его группа промолчала. Только серьезная девочка Галя после долгой паузы спросила:

— Как связаны дерево и космический корабль?

— Никак.

Ребята расселись по местам, Ричард ушел за их спины, чтобы не закрывать готовую зацвести вишню.

А в следующую секунду грохнул первый выстрел.

Тема успел провести по листу бумаги коричневую полосу и вместе со стулом рухнул на землю. Его левый бок заливала кровь, глаза остекленели.

Дик сориентировался мгновенно. Заорал:

— Лежать! Всем лечь!

Попытался понять, откуда стреляют, самому встать на траекторию выстрелов.

Пуля пронеслась в миллиметре от его щеки, царапнула ухо. Он бросился к ближайшей пациентке, вместе со стульчиком сбил ее.

Сам отполз в сторону. Продолжал кричать:

— Все! Легли!!!

Но подростки не спешили выполнять его команду. У них всегда была замедленная реакция, а в критической ситуации бедняги откровенно «поплыли».

Флегматичная Галя отвернулась от мольберта и с любопытством оглядывалась по сторонам. Фанат живописи Костик вообще ничего не замечал. От усердия высунул язык и продолжал прорисовывать ствол яблони.

Снова шарахнул выстрел, и Костя молча упал — рука так и продолжала сжимать кисточку.

«Они не понимают! Они просто не понимают, что происходит! — в отчаянии подумал Дик. — Их за руку надо тащить!»

Вскочил, бросился к Гале — и немедленно получил пулю в плечо.

Девушка с удивлением посмотрела на клочья свитера и красное пятно. Нахмурила брови, спросила:

— Ты испачкаться?

И в следующую секунду упала сама.

С улицы, по счастью, уже несся рев сирен.

Но, прежде чем полицейские ворвались во двор, выстрелы сразили еще троих. Потом раздался финальный хлопок — у забора.

И все стихло.

Римма

Каналы можно было не переключать. По всем крутили одно, везде с похожим зачином: *«Страшная бойня случилась на юго-востоке Москвы...»*

И дальше — телевизионщики соревновались, кто больше чернухи успел снять. Показывали Центр реабилитации, оплетенный желтой лентой. Тела в черных мешках укладывают в «Скорую». Рыдает рыженькая Ксюша. Страшно бледный мужчина повторяет:

— Он был там. Мой сын был там.

Мне потребовалось минут пятнадцать, чтобы из мозаики охов и гневных слов вычленить главное: стрелял подросток. Искать укрытие не стал: расположился на верхушке забора почти с комфортом — липа, что росла рядом, стала удобной подпоркой под спину. Сделать успел одиннадцать выстрелов. Восемь попали в цель. Трое пациентов убиты, еще трое ранены. Преподаватель ИЗО американец Ричард Саймон получил две пули, но его жизнь вне опасности. Последнюю пулю — когда понял, что его бегут *брать,* — стрелок пустил себе в лоб. Личность убийцы пока не установили, но лицо показали: совсем юный, губы сжаты в мертвой и все равно издевательской улыбке.

Журналисты показательно гневались. Почему во дворе Центра не имелось видеонаблюдения? Почему никто не пришел учителю на помощь? Почему полиция на месте преступления появилась только через пять минут?!

Лично я считала: все могло кончиться и хуже. От безоружного дедушки-охранника под пулями толку все равно никакого, подростков могла быть целая шайка, и пять минут для полицейской машины — отличный показатель.

А вот юнца-убийцу понять никак не могла. Да, молодые иногда творят зло. Стреляют в царя. В соперника. Приходят в школу — убивать учителя за «двойку» или одноклассников — за издевки. В подобных случаях хотя бы как-то можно убийц оправдать. Но что за низость — стрелять по беззащитным больным?

Я — словно зомби, на ощупь — прошла к холодильнику. Водки. Обжечь горло, остановить дрожь в пальцах.

Но спиртного в моей аккуратной студии, увы, не оказалось. Я залпом выпила бутылку ледяного сока и снова начала дрожать.

Зазвонил телефон. Опять Федор. Я залепетала полную глупость:

— Такой кошмар, мне ужасно жаль... А Ярик... Ярик в порядке?

— Ярик дома, — глухо отозвался старший брат. — Он не ходит на занятия. Ждет Ольгу.

— Передайте ему: письмо уже у меня! Завтра будет у вас! — торопливо похвасталась я.

— Вы нашли Ольгу? — равнодушно отозвался Федор.

— Да.

— И куда она сбежала?

— К жениху. Георгию Климко. — Я абсолютно забыла о том, что не надо выдавать лишнюю информацию.

Дорофеев-старший больше ничего спрашивать и не стал. Пробормотал:

— Извините, что вам надоедаю. Но меня реально накрыло. А поговорить не с кем. Ярик не поймет. Мать не в духе. Это быдло... Шестнадцать лет ему. Десятый класс. Я таких, как он, учу «винт»[1] делать...

Телефон запищал — прорывался еще один абонент. Я скосила глаза на определитель: Ольга. Она сегодня дала мне свой псковский мобильный номер.

Этот звонок может быть важным. А разнюнившийся мачо пусть сам справляется с нервами.

— Федор, мир не всегда справедлив, — строго сказала я. — Простите, у меня звонок по второй линии.

Похоже, мастер паркура ждал от меня других слов. Буркнул обиженно:

— Ладно. Не буду отвлекать.

А я нажала на «прием» и выкрикнула:

---

[1] «Винт» — элемент паркура.

— Да, Оля?

Вот сейчас я истерику получу — дай боже!

Однако в отличие от явно потерянного Федора балерина говорила почти спокойно:

— Римма, вы знаете?

— Конечно.

— А новости внимательно смотрели?

— Ну... я просто переключала каналы...

— Найдите в Интернете канал «Эм-8». Прямо сейчас.

Я чрезвычайно удивилась ее выдержке. Ее просьбе. Однако многолетний стаж секретаря пошел мне на пользу. Когда человек приказывает (как сейчас Ольга), я никогда не спрашиваю: «А зачем это надо?» Но просто молча и быстро исполняю.

— Одну секунду.

Я перевела мобильник на громкую связь, вышла на сайт канала, открыла рубрику «Происшествия». Номером один, разумеется, шла «Бойня в столичном доме инвалидов».

— Нашла. Что конкретно смотреть?

— Там сюжет на три с половиной минуты. Прокрутите на пару минут вперед. Что видите?

— Журналистка стоит у фасада, возмущается, что охраннику Центра семьдесят шесть лет.

— Ждите. Сейчас дадут общий план. Там народ толпится у заградительной ленты. Видите?

— Да.

— Остановите.

— Сделала.

— Теперь смотрите внимательно. Справа

в первом ряду две колоритные дамы в спецодежде. Нашли?

— Да.

— А за их спинами парень. В бейсболке. Поймали?

— Ну... или мужчина. А может, старик.

— Да, почти не разглядеть. Но у него родинка под нижней губой. И подбородок круглый, как у девчонки. Я его узнала. Помните, я вам рассказывала сегодня? Это он мне угрожал в Главном театре.

Я прищурилась на размытый контур. Пробормотала:

— Но здесь вообще почти ничего не разобрать.

— У меня память на лица хорошая. Это он. Сто процентов.

— Он вам угрожал. И он сейчас здесь... Значит, этот человек *может* быть связан с убийцей!

— Догадался Штирлиц. — В ее голосе прозвучала насмешка.

— Вы многолики, — парировала я. — Какая уверенность в себе! А еще недавно тряслись от страха.

— Беда в другом. Я ведь еще что-то знаю. Очень важное, — вздохнула балерина. — В голове вертится, а вспомнить не могу.

— Из какой хотя бы оперы?

— Вроде, мне кажется, я и этого парня, кто стрелял, видела раньше. Но где, при каких обстоятельствах — тут полный провал.

— Тогда расскажите мне то, что помните. Про того, кто вам угрожал. Внешность, возраст. Одежда. Манеры.

— Ну... ему лет двадцать пять. Может, и тридцать. Он явно следит за собой. Очень ухожен. Стрижка, ногти идеальные. Дорогие часы, хороший костюм.

— Насколько хороший? — перебила я.

— Не на заказ сшит, но бренд. «Босс» или «Бриони». Мужчины в Главном театре часто такими... забитыми выглядят, жены их одели и с собой притащили. Но этот очень уверенно держался. Не сомневаюсь, что сидел в партере.

— А внешность?

— Волосы русые, глаза серые, нос прямой. Две родинки. Одна под нижней губой, вторая на правой щеке.

— Вы очень много запомнили, — уважительно заметила я. — Хорошо бы вам этого типа официально опознать! Ведь запросто: именно он мог отправить подростка на бойню. А сам болтался неподалеку. Контролировал, как исполняют его приказ.

— Ну уж нет! — резко отозвалась Ольга. — Я этого делать не буду. Сыта по горло. Скажите им сами.

— Полиция не принимает показания с чужих слов.

Балерина нервно хохотнула:

— Пусть тогда попробует меня поймать! Но сразу предупреждаю: мы с Георгием завтра утром уедем. Очень далеко.

Он сбавила храбрый тон и жалобно прошептала:

— Я стараюсь держаться, вы видите. Но мне настолько страшно... Я вообще больше не могу жить в этой стране! К счастью, Гоша меня понимает.

— Олечка, — пророкотал фоном мужской голос, — ты с кем говоришь?

— Э-э... с мамой, Гош! Я сейчас! — крикнула она испуганным голосом. — Все, пока, мамулечка!

И сбросила звонок.

Я в отчаянии упала на кровать.

Вот это я влипла! Семейное и *незначительное* дело обратилось в трагедию. Мне, конечно, никто не поручал — и не поручит — расследовать расстрел инвалидов, но остаться в стороне я никак не могла.

Пашеньке бы позвонить! Но времени — почти одиннадцать. В Индии — если он на самом деле там отдыхает — глубокая ночь. Да и что Паша скажет? Велит как можно быстрее вернуться домой, отдать заказчику письмо — и предоставить расследование полиции.

Но, вместо того чтобы немедленно начать абстрагироваться от чужой беды, я запустила фоторедактор и максимально увеличила фотографию парня в бейсболке. Потом перекинула ее на планшет. Включила программу распознавания лиц. Кепка бросала тень почти до подбородка, глаз не разглядеть, нижняя часть лица размыта. Родинка и девчачий подбородок — тоже мне приметы!

Обычный поиск результата, разумеется, не дал. Но, по счастью, скромный секретарь Римма давно строила честолюбивые планы. И тратила зарплату не только на лаки для ногтей. Одним из моих последних приобретений была программа TRASSIR Face Recognition. Из-за дорогостоящей покупки мне пришлось отдыхать в Кисловодске вместо Бали, зато сейчас я ликовала, глядя на строчку: «Найдено одно совпадение».

Фотография, представленная ниже, явно была сделана на светской вечеринке. У стенда с логотипами спонсоров расположились две девушки с очень гламурными, противно правильными лицами, а между ними по-кошачьи улыбался тот самый тип. Подпись гласила: *Светские дамы Лиля и Лика Поморские, а также Филипп Долматов, сомелье.*

Я разделила экран надвое. Поставила рядом гражданина в кепке и холеного сомелье. На первый взгляд ничего общего. Один — алкаш из Кузьминок, второй — житель центра и завсегдатай гламурных тусовок. Но моя программа стоила, как самолет, и никогда не ошибалась.

К тому же у гражданина Долматова имелась и вторая родинка. На правой щеке. Точно, как сказала Ольга.

Неужели знаток хороших вин состоит в экстремистской организации? И это тот человек, кто направлял, вдохновлял и контролировал подростка?

Нет, нестыковка. Если Долматов — серый кардинал, он ни за что не будет подставляться, сыпать угрозами в театре.

Впрочем, я сразу придумала вариант проще

и гораздо реальней. Филипп хотя и тусовщик, но живет, допустим, где-то здесь, в Кузьминках. Часто проходит или проезжает мимо Центра реабилитации. Больные люди выхоленного сомелье раздражают. Потому и сорвался, когда они ему еще и в Главном театре попались. А сейчас Долматов здесь — да тоже потому, что местный! Пришел поглазеть, что случилось. Позлорадствовать.

Как использовать Ольгину информацию — и надо ли кому-то ее озвучивать вообще — я тоже не понимала.

Мой маленький женский мозг, который пребывал в напряжении почти весь день, наконец не выдержал. Внезапно накатила головная боль. Да настолько сильная, что хотелось долбануться с разгону в стену и разом прекратить все мучения.

Анальгина с собой я никогда не возила и сейчас в аптеку тоже решила не бежать. Тем более что вряд ли здесь, в Прасковичах, есть круглосуточные.

Выпила еще одну бутылочку ледяного сока. Потом приняла волевое решение: выключила все гаджеты, открыла окно, сунула голову под подушку и начала упорно считать слонов. Была почти уверена: не поможет. Но на сто каком-то сама не поняла, как заснула.

Разбудила меня вспышка света. Не слишком яркая. Я открыла глаза, снова закрыла. Немного подремала, но полноценно заснуть не смогла.

Сбросила с уха подушку. В комнате темно. На часах — половина шестого утра, в глазах отчаянно щиплет.

Я скосила глаза на телефон — он подмигивал зеленым глазом. Пропущенный звонок, эсэмэска или сообщение на ватсап. Звонок и вибрацию я отключила, но огонек мерцает всегда.

— Дьявол вас раздери! — пробормотала я.

И открыла послание.

Оно было от Ольги.

Девушка явно торопилась — ни единого знака препинания.

— То же место 5.30 утра обязательно будь Мне не звони.

Часы показывали 5.33.

Я упала обратно на подушки. Застонала. Укрылась с головой. А потом резко вскочила и начала одеваться.

***

Будь у меня пять свитеров, я бы надела их все. Однако в куцем моем багаже имелась лишь футболка, блуза, легкий кардиган и практически бумажная куртка. А термометр за окном показывал плюс три.

Когда я выскочила во двор, показалось, что здесь вообще Северный полюс. Моросил ледяной дождь, завывал ветер, деревья кренились, будто секли кого-то невидимого. Зубы начали стучать мгновенно. Чтобы не умереть от холода, я сразу бросилась бежать.

Девушка в пять утра на обочине шоссе — зрелище соблазнительное. В Москве бы обязательно пристали: полиция, джигиты, подростки. Но по пути из Прасковичей в соседнюю деревню Загорье меня сопровождал лишь удивленный лай собак. По счастью, все они сидели за изгородями, и я минут за десять благополучно свернула с трассы к реке Великой.

Здесь сразу пришлось притормозить — дождь шел, видно, всю ночь, глина намокла, противно чавкала и скользила. Я балансировала в грязи, терла, чтобы согреться, то уши, то нос и страшно злилась. Все-таки театральные дамы — каковой, несомненно, являлась Ольга, — они нормально не могут. Обязательно им подавай нарядную картинку, красивый фон, спецэффекты.

Вчера она сказала, что не пойдет ко мне в квартиру из-за злых языков. Не слишком убедительная отговорка. Похоже, балерина просто считала: слова любви с берега реки зазвучат куда ярче, чем из кресла.

А зачем сейчас, в глубокой ночи, затевать «встречу на Эльбе» — совсем непонятно. Супруг ее оберегает? Не хочет, чтобы она общалась на больную тему? Но могла бы — тоже ночью, тихонько, — выскочить во двор и просто оттуда позвонить. Или Ольга боится, что ее телефон *слушают?*

Однако ни один детектив, сколь бы ни злился на важного свидетеля, никогда не откажется от встречи с ним. Поэтому я осторожно и терпеливо преодолела размытую дождем тропинку вдоль обрыва, дошла до лестницы и осторожно начала спускаться к воде. На рассвет — ни намека, ни единое окошко на первой береговой линии не светится, сплошная тьма. Хотя мостки, если прищуриться, я разглядеть уже могла. И они оказались пусты.

Часы, однако, показывали 5.46. Ольга опаздывает? Или вообще не придет? Это будет прелестно — единственные брюки у меня грязные и мокрые до колена, в мокасинах хлюпает вода, а днем я собиралась улететь в Москву. Позвонить ей, что ли?

Но прежде я все-таки спустилась на мостки. Тишина, пустота, ночь, ветер. Я достала телефон, включила фонарик. Тонкий луч заплясал по мокрым доскам настила, жухлым, еще прошлогодним зарослям камыша вокруг величественной черной реки. Ни следа Ольги, но что-то было не так. Паша бы догадался немедленно, но мои извилины скрипели секунд тридцать, прежде чем я заметила: *мостки в грязи*. А ведь вчера было сухо. Дождь пошел после полуночи, когда я уже заснула. Я присела на корточки, попыталась вычленить из слоя грязи что-то полезное — и увидела. Отчетливый след мужского ботинка.

Только потом — тупица одноклеточная! — я начала светить на реку. И увидела метрах в десяти от берега знакомый военный ватник.

— Оля! — жалобно пискнула я.

Начала расстегивать куртку. Нет, ерунда, надо прямо так. Как будет менее страшно — прыгнуть, или просто сползти в воду? А если я сама утону? Или умру от шока?

Возможно, именно эти секунды могли стоить Ольге жизни, но нужно было подстраховаться.

И прежде чем ринуться в ледяную Великую (вчера я попробовала — градусов пять от силы), я набрала на телефоне 020. Полицию в Пскове вызывали по этому номеру — табличка с информацией висела в подъезде дома, где я снимала студию.

«Если ответит робот, ждать не буду».

Но голос дежурного отозвался мгновенно, я выпалила:

— Загорье. Мостки. Человек утонул.

Отбросила телефон и ринулась в воду.

В первую секунду показалось: вполне приемлемо. Я бодро погребла в сторону фигуры в ватнике. Но адреналин грел доли секунды. Уже метров через пять ноги начало сводить от холода, воздуха не хватало, руки заледенели. По счастью, я нащупала дно — и, умирая от тысячи иголок, вонзившихся в тело, продолжала не плыть, а шагать. Вот он, тулуп, совсем рядом. Резко рванула на себя — и увидела мертвое Олино лицо.

— Нет! — заорала я во весь голос.

Лицо девушки посинело, на губах выступила серо-кровавая пена, глаза закатились, на лице застыл испуг. Мои конечности оледенели окончательно, ватник не держался в замерзших пальцах. Я неимоверным усилием дотащила Ольгу до берега, выволокла на мостки и принялась неумело давить ей на грудь — делать искусственное дыхание.

Первую помощь меня учил оказывать Паша. Что делать конкретно и в какой последовательности, я, к сожалению, помнила плохо. То яростно гнала воздух балерине в рот, то делала непрямой массаж сердца, то колотила по спине, пыталась добиться, чтобы вода вылилась из легких. Вода текла, но Ольга не кашляла, не шевелилась, не дышала. Тело оставалось безжизненным и тяжелым. Я плакала, но продолжала свои бестолковые попытки — до тех пор, пока меня не оттащили сильные мужские руки.

— Нет! — Я вошла в полный транс, вырывалась, лягалась.

Только когда увидела, что над Ольгой склонились две фигуры в ватниках «Скорой помощи», ненадолго пришла в себя. И снова впала в истерику, когда услышала печальный женский голос:

— Слишком поздно. Мертва.

Носилок к реке не принесли. Мужчина в медицинской униформе взвалил балерину на плечо, потащил вверх. Женщина помогала, поддерживала ноги. Я прильнула к груди сама не знала кого и тихо ревела. Мужчина подхватил меня на руки и тоже двинулся прочь от реки. Я рассмотрела смуглое лицо, острые скулы, восточный разрез глаз. Сквозь куртку отчетливо ощущалась сила мышц. Пробормотала: «Вы Джеки Чан?»

И потеряла сознание.

Очнулась я в полицейской машине и первое, что услышала, — слово «больница». Глаз не успела открыть — заорала:

— Не надо!

— Хороший голосище, — уважительно отозвался шофер.

А смуглый силач — тот самый, что нес меня

на руках, а теперь сидел рядом на заднем сиденье и грел мои руки в своих, — ласково молвил:

— Испугалась, милая?

Смотрел как на полную слабачку-блондинку, и я совсем расстроилась. Вот позор! Падать в обморок простительно секретаршам, но частному детективу!

Я попробовала освободить руки — но Джеки Чан держал крепко. Шепнул:

— Не вырывайся, ты еще не согрелась.

Это точно. Печка в машине жарила на полную, но меня до сих пор била дрожь. Я скосила глаза: плечи накрыты тулупом, вторым укутаны ноги. Под тулупами — ощущение теплой и мокрой одежды. Раздевать не стали, просто утеплили. Но если мне надо будет — через секунду, минуту, час — снова выйти на холод, я сразу умру.

Что-то, госпожа частный детектив, ты разнюнилась. Надо брать себя в руки.

— Ни в какой горотдел или райотдел я сейчас не поеду, — предупредила я.

— Ишь ты, капризничает! — проскрипел водитель. — Поедешь, милая, куда денешься. Объяснения надо дать.

— Я дам. Но не сейчас. У меня стресс. Мне нужно переодеться, согреться, поспать. И вообще ночью допросы запрещены.

— Ты чего, сидела? — с удивлением обернулся ко мне шофер.

Мой смуглый ангел-хранитель улыбнулся:

— Ничего ты не понимаешь в людях, Михалыч.

И обернулся ко мне:

— Ты ведь не местная? Где остановилась?

— В Прасковичах. Студия в многоэтажке. Вон, как раз проезжаем!

— Притормози, — властно сказал Джеки Чан. — Какой подъезд?

— Второй, — пискнула я.

— У нас труп, а ты ее домой отпускаешь, — проворчал водитель.

— Я не собираюсь скрываться, — заверила я.

Сейчас, правда, мне очень *хотелось* зарыться во все одеяла и спрятаться ото всех и вся.

Но я вспомнила мертвое Ольгино лицо. Ее странную эсэмэску. След мужской ноги на мостках. Нет, нельзя откладывать.

И я уверенно предложила:

— Мне нужно пятнадцать минут — принять душ и переодеться. Потом можете подниматься. Квартира пятьдесят восемь.

Соседи (и хозяин жилья), безусловно, будут в восторге.

— Спасибочки, разрешила, — хмыкнул Михалыч.

Джеки Чан улыбнулся:

— Не надо прямо сейчас. Отдохни, приди в себя, отогрейся. А я в девять утра сменюсь и заеду. Только тулуп мой на батарею положи, чтобы высохнуть успел.

— Шустер ты, Нурланчик! — прокомментировал водитель.

У меня после слов Нурлана внизу живота приятно потеплело, грудь налилась.

Ничего себе я развратная женщина! Все забыто: мертвая Ольга, стресс, холод. Паша, которого я обожаю. Федя, кто еще недавно мне очень нравился. Теперь я банально *хочу* абсолютно незнакомого полицейского! Еще и по имени Нурлан.

«Может, лучше выспаться и часам к трем приехать к ним в райотдел?» — опасливо подумала я.

Однако решила: надо отделаться от местной полиции как можно быстрее. А днем спокойно улететь в Москву. Насильно красавец Джеки Чан — Нурлан ничего со мной не сделает. А сама я буду холодна, словно лед.

* * *

Вся моя одежда являла собой мокрый и грязный комок. По счастью, в квартирке имелась стиральная машина и даже емкости порошка, пятновыводителя и ополаскивателя. Я запустила минимальную по времени программу, но с максимальным количеством оборотов. Потом на полотенцесушитель намотаю — авось успеет высохнуть до полудня. Я все-таки очень хочу убраться отсюда именно сегодня.

Но во что облачиться в настоящий момент? Пока что у меня имелись из сухого только трусы, топик без рукавов и короткие пижамные шорты. А через три часа — сразу после дежурства, в полицейской форме — придет Нурлан. Настоящая получалась завязка фильма для взрослых.

Я взяла с кровати плед. Повертелась перед зеркалом, пытаясь соорудить из него подобие плаща, желательно максимально кокетливого. Но быстро устыдилась своего занятия, нырнула в постель. Как я могу прихорашиваться? В Москве погибли подростки. Ольга мертва. Причем именно я сделала все, чтобы ее погубить. Опоздала. Не сразу догадалась взглянуть в воду. Потратила время, чтобы вызвать полицию, — хорошо хоть днем увидела на стенде и запомнила номер. А то бы набирала, как в Москве, 112. После звонка еще как минимум секунд пять собиралась с духом, прежде чем прыгнуть. Реанимацию провела безобразно.

«Только бы с этим ее Гошей не встретиться, — подумала малодушно. — А то он меня вообще прибьет».

Холод наконец отступил, зато горло начало драть, из носа потекло. Любая бы нормальная испугалась воспаления легких, но я себя поймала на мысли: как покажусь Нурлану — с красным носом и хриплым голосом?

Опять Нурлан.

«Ты примитивное существо, Римма», — укорила я себя.

С тем и уснула.

Пробудилась без будильника без пятнадцати девять. Горло и голова болели, но не смертельно. Я первым делом вынула из стиралки одежду, развесила. Перевернула на батарее тулуп. Потом лихорадочно умылась, почистила зубы, откашлялась, промыла нос. Вскипятила чайник, засыпала в чашку — по рецепту Синичкина — пять ложек кофе. Иначе мне не взбодриться.

Только хотела включить телевизор — в дверь

позвонили. Сразу видно — полицейский, домофон ему не преграда.

Я набросила на плечи плед-плащ и открыла.

Вот это галантный человек! В руках торт, да еще и пакетик. И улыбка до ушей.

— Привет, Римма.

А вот своего имени ему я точно не называла.

Покрепче затянула плащ вокруг плеч. Как можно более строго спросила:

— Мы с вами разве знакомились?

Развеселился еще больше:

— Риммочка, вы в Прасковичах! Квартиры здесь сдает один человек, и, конечно, я ему позвонил. Неприлично ведь идти в гости, когда даже не знаешь, как к девушке обратиться.

— В гости? А вы разве не опрос пришли проводить?

Он отмахнулся:

— Опрос тоже проведем. Но давай сначала кофе.

Поставил на стол моей мини-кухни торт, разгрузил пакет — мандарины, конфеты, упаковка жаропонижающего. Посоветовал:

— Выпейте. От профилактики хуже не будет.

Дьявол, он мне нравился все больше и больше!

Мы сели за стол. Я послушно приняла лекарство, потом взялась за торт. Искоса взглянула на Нурлана:

— Что еще вы знаете обо мне, кроме имени?

— Больше ничего, госпожа секретарь детективного агентства «Павел».

— Пробили, значит, — вздохнула я.

— Хотел подтвердить свою догадку. Зачем красивой девушке идти на берег реки Великой в половине шестого утра? Только по серьезному делу.

Я молча откусила еще кусочек торта. Тесто суховато, и крем слишком жирный. Зато кремовые розочки шикарны — сразу видно, мужчина старался, выбирал.

Медленно прожевала. Потом осторожно произнесла:

— Видите ли, Нурлан. Я имею право утверждать, что просто хотела встретить рассвет. Там, на мостках. А когда увидела человека в воде, сначала вызвала полицию, а потом, разумеется, попыталась его спасти.

Теперь пришла его очередь молча жевать.

Я же решила продолжить атаку:

— Наши отношения с Ольгой — если они, конечно, имелись — исключительно мое дело. Никого в них посвящать я не обязана.

Он лукаво улыбнулся:

— Девушки часто ссорятся. И даже убивают друг друга на почве неприязненных отношений.

— Хотите меня в убийстве обвинить? Бросьте. Вы умные люди, и ваши криминалисты, конечно, увидели на мостках *мужские* следы. Плюс я не актриса. Никогда бы не сумела сначала убить, а потом вызвать полицию и притворяться, что человека спасаю.

Нурлан поднял руки:

— Римма, вам очень не идет оправдываться.

— Вы первый начали угрожать.

— Это от бессилия, — улыбнулся лукаво. — Но

давайте откроем карты. Вам нужна моя *служебная* информация. Мне пригодится то, что знаете вы. Зачем нам торговаться, если мы можем рассказать друг другу все как на духу? Готов быть первым.

Я не стала бекать и мекать — сразу взяла быка за рога:

— Ольга умерла?

— Да.

— Причину смерти установили?

— Вскрытие будет позже. Предварительным осмотром эксперт обнаружил на шее синяки. Есть вероятность — ее придушили, не насмерть. А когда она потеряла сознание, бросили в воду.

— Поэтому в легких и была вода, — пробормотала я. — А мужчину, чьи следы там, на мостках, хоть кто-нибудь засек? Человек или камера?

— Свидетелей пока нет. С камерами у нас еще хуже. Но есть одно предположение. Вы знаете, за кого Ольга собиралась замуж?

— Ну, Георгий. Гоша. Здоровый такой. Столовую держит. Охотник, дома три борзых собаки.

Нурлан внимательно взглянул на меня:

— Он дважды судим.

— За что?

— Первый раз, еще в старших классах, по хулиганке. Освободился в девятнадцать. Взялся за ум, познакомился с женщиной. Стал с ней жить. Вроде дружно, только очень ревновал ее — она в баре работала. Поклонники, чаевые. Однажды шел мимо, через окно увидел ее в обнимку с посетителем, ворвался в бар — и убил.

— Обалдеть! — выдохнула я.

— Признали аффективный умысел, поэтому судили по сто седьмой. Через три года вышел.

— Оля мне говорила — такой надежный... Как за каменной стеной... Что она с ним счастлива.

— Его пока не задерживали. Человек в трансе, мать, соседи, он сам — все клянутся: был дома. Но интересная деталь: отпечаток от обуви на мостках — сорок третьего размера. Как и у Георгия.

— Ну, это не доказательство, — не слишком уверенно пробормотала я.

— Конечно, каждая пара обуви индивидуальна. Ботинки уже изъяли. Будет трасологическая экспертиза, — кивнул Нурлан.

Я как-то внезапно совсем забыла, что решила *выдавать* информацию только после того, когда выведаю все, что мне нужно. Нахмурилась:

— Не знаю, насколько Ольга была откровенна с женихом. Но если он очень ревнивый, то повод у него имелся.

— Какой? — оживился Нурлан.

Я честно рассказала про влюбленного в свою учительницу Ярика. Про задание. О том, как вчера на закате Ольга записывала для своего бывшего подопечного звуковое письмо.

— Можно послушать? — немедленно уцепился полицейский.

Я достала планшет, молча нажала кнопку воспроизведения. До чего было грустно смотреть на красивую, сексуальную, живую Ольгу! Глаза горят, волосы развеваются на ветру, голос шепчет с придыханием:

— Дорогой Ярик, ты прекрасно знаешь, что я тоже тебя очень люблю. Да, мы не можем быть вместе. Но если хочешь вспомнить меня — взгляни на мои любимые розы, и я улыбнусь тебе из лепестков. Посмотри в небо, где бегут облака — возможно, я прячусь за ними и оттуда смотрю на тебя. Знай: необязательно быть вместе, чтобы любить. Но лично я всегда буду с тобой. Хотя и на расстоянии.

— М-да, — хмыкнул Нурлан. — Зажигает.

— Но на самом деле она все врет. Ярик — больной человек. Ольга его отгоняла как надоедливую собаку. Только сейчас, с безопасного расстояния, решила парня порадовать, — возразила я.

— И это у нее получилось, — признал полицейский. — А вчера — там, на мостках — Георгий не мог за вами наблюдать?

— Я не видела. Но, честно сказать, и не приглядывалась.

— А у Ольги это письмо осталось?

— Нет, конечно. Только у меня. Но я не думаю, что ревность — единственная версия. Вы знаете, где Ольга раньше работала?

— В Москве. В каком-то доме инвалидов.

— В том самом, где вчера пациентов расстреляли.

Его брови поползли вверх. Пробормотал:

— Да, я слышал. Но не сопоставил...

— Когда в новостях сообщили, она мне сразу позвонила. И кое-что рассказала.

Я поведала Нурлану о вчерашнем звонке балерины, о происшествии в Главном театре, об ее подозрениях. Показала фотографию Филиппа Долматова. Продемонстрировала паническую эсэмэску, которую Ольга прислала мне без одной минуты в пять утра.

Полицейский прочел краткий сбивчивый текст несколько раз. Задумчиво сказал:

— Что она хотела вам сказать?

— Накануне она говорила — никак не вспомнит какую-то важную деталь. Похоже, все-таки вспомнила.

— И зачем так сложно? Глубокой ночью, одной идти на реку? Почему нельзя было просто позвонить?

— Георгий желал ее полностью контролировать, и Ольга, возможно, не хотела говорить в доме. Вчера, когда мы созванивались, она меня за свою маму выдала. Могла бояться, что второй раз не прокатит.

— А если бы жених засек ее, когда она ночью убегала?

Я лишь беспомощно развела руками.

— И почему нельзя было встретиться — да хоть тут, у вас?

— Вчера я звала — Ольга не захотела. А ночью — как бы она узнала адрес? Только если звонить... Но звонить она почему-то не стала. У меня, правда, звонок был выключен, но никаких неотвеченных вызовов нет.

— Хорошо. Допускаем: некто — не Георгий — караулил ее у дома.

Я подхватила:

— Ольга выходит. Преступник удивлен. Но не бросается на нее немедленно — решает пойти следом. И она приводит его в очень удобное — практически идеальное для убийства — место.

— Да, Римма, — вздохнул Нурлан. — Вам очень повезло, что вы опоздали. А то могли бы обе себя в жертву нашей Великой принести... Но что же Ольга хотела вам сказать?!

Я прикрыла глаза ладонями, подумала. Неуверенно произнесла:

— Вообще я одну глупость сделала. Вчера. Мне вечером заказчик позвонил. Брат Ярика. Ну, я ему и ляпнула, что в Пскове и что письмо у меня. Он ничего не уточнял, мы сразу про убийство инвалидов заговорили, но я теперь думаю: вдруг у него тоже какой-то свой умысел?

— Какой? — цепко взглянул Нурлан.

— Не знаю. Но в Москве ведь никто не знал, куда исчезла Ольга. А заказ — привезти звуковое письмо для больного аутизмом братика — изначально звучит как-то странно. Федор мог меня втемную использовать. Чтобы я нашла девушку. Вдруг у него к ней свои счеты имелись?

— Во сколько точно вы сказали заказчику про Псков?

— Около десяти вечера.

— Убийство произошло, будем считать, в пять пятнадцать. Если сразу принять решение и ехать быстро — можно успеть без проблем. Какая у него машина?

— Э... не знаю. По-моему, он вообще не водит.

— Я все равно проверю. Дайте мне имя, отчество, адрес.

— Нурлан, — я прижала руки к груди, — с вами настолько приятно общаться! Нормальный разговор двух, — я слегка задумалась, но все же произнесла, — профессионалов. Не то что многие ваши коллеги: тайна следствия, да у вас вообще нет лицензии. Чтобы хоть что-то узнать, постоянно приходится глупой блондинкой прикидываться. Знаете, как надоело!

— А у вас действительно нет лицензии? — улыбнулся он.

— У шефа есть. А я — просто секретарша. Котиков, собачек разыскиваю. Однажды нашла сбежавшего жениха — правда, мертвым. Теперь опять: поехала за письмом, а получила труп. Такое вот портфолио.

Он отодвинул кофейную чашку. Встал из-за стола. Подошел сзади. Обнял. Я лихорадочно соображала, что делать — вырываться или посмотреть, что будет дальше?

Но альфа-самцы — а Нурлан, безусловно, к ним принадлежал — всегда чувствуют, когда баба-дура готова.

Церемониться не стал — резко развернул к себе лицом и начал целовать.

Я закрыла глаза. Но черноты под веками не увидела. Словно в лихорадочном кино, там замелькали Ольга, Федор, Ярик, а потом всех их заслонило укоризненное лицо Паши. Однако Синичкин был не один. Рядом с ним — я не знала, фантазия то разыгралась, или я после всех переживаний стала провидицей — восседала в позе лотоса роскошная и развратная блондинка.

Прочь сомнения.

Мой плед-плащ полетел на пол.

Горячие руки Нурлана растворяли остатки холода в теле, угольно-черный взгляд прожигал.

«Хороша командировка!» — в последний раз укорила себя я.

А потом — полностью отдалась страсти.

* * *

Константин пил уже третий день и остановиться не мог.

Смерть страшна всегда. Но она в миллионы раз горше, когда поминальную водку приходится пить сразу после праздничного бокала шампанского.

Еще позавчера его сыну, Костику-младшему, вручали кубок, диплом и подарок.

Второе место на городской олимпиаде по ИЗО. Второе — среди *нормальных детей,* вы только вдумайтесь! Его больного сына обошел единственный мальчик — сын профессиональных художников, у кого с пяти лет личные педагоги по композиции и натюрморту. А все остальные таланты, надежды и звезды — парни и девчонки безо всяких диагнозов — остались позади! Его бука, молчун, скандалист и сумасшедший талантище Костик оставил позади больше тысячи человек!

Константин-старший, морщась, выпил очередную рюмку. И встало перед глазами, словно вчера. Как подавали заявку на конкурс. Как он выспрашивал в оргкомитете — словно между делом, — какие документы обязательно проверяют. Ему простодушно сообщили: справку из школы можно не приносить — только оригинал свидетельства о рождении. А там, извините, про диагноз — ни слова.

А сколько он натаскивал Костика, как себя вести во время олимпиады! Написал памятку, каждый день заставлял сына повторять:

— Я учусь в школе 1413. Я не буду вставать во время работы. Я не буду говорить вслух, когда рисую.

И еще много других правил, которые следовало хорошенько заучить.

Шансы сойти за нормального имелись неплохие. С виду сын совсем не походил на больного. Черноглазый, стройный. А что «р» не произносит и в глаза не смотрит, так сейчас половина подростков такие.

Жена идею Константина-старшего не одобряла. Ворчала:

— Зачем все усложнять? Олимпиада открытая, никаких ограничений для инвалидов. Наоборот, если сказать, как есть, за Костиком присмотрят, помогут.

Конечно. Инвалидам всегда дают подачки. И его сыну-аутисту вяло кинули бы косточку — ничего не значащий поощрительный приз.

Но у отца давно была мечта, чтобы Костя-младший не просто поборолся на равных со здоровыми, но победил их. Безо всяких поблажек и скидок. Гораздо приятнее не поощрения получать, а настоящий, в их ситуации — золотой, бриллиантовый, платиновый приз!

И все удалось. Шокировало. Взорвало Москву.

Только Костинька — он ведь всегда в себе, ликовать и праздновать не умеет. Отец предлагал на следующий день кино, выставку, даже в Париж улететь. Но сын смущенно улыбнулся и попросил:

— Можно я лучше в Центр, на занятия пойду?

И не екнуло, ничего не подсказало сердце!

Как может быть мир настолько несправедлив, что еще вчера Костик смущался на сцене, ему аплодировали, его снимало телевидение, а уже сегодня его новая картина не окончена и в крови? И сам он — мертв?!

Дома, где все напоминало о сыне, отец находиться не мог. И хлюпанье жены раздражало. С супругой прожили двадцать пять лет, видел ее до донышка, понимал: рыдает — потому что положено, но втайне очень рада. Тому, что больше не будет в их доме тяжелых дней, когда Костя часами раскачивается взад-вперед и бормочет невнятное. Что не надо морочиться с безказеиновой и безглютеновой диетой для сына. Не придется попадать в глупые ситуации. Костика ведь приучили обязательно выполнять приказы. Вот дочка и подшутит — велит, например, прямо на улице раздеться. И подросток послушно скидывает куртку, шапку, свитер, майку, штаны, трусы. А злая девчонка хохочет.

Супруга стеснялась своего странного сына. И обожала их нормальную (но объективно довольно глупенькую) дочурку. А Константин-старший, наоборот, именно в сыне видел истинного продолжателя рода. Мальчишка ведь уже в четырнадцать рисует как бог! Мультики делает на компьютере фантастически талантливые!

И как теперь жить — без него, но с двумя ограниченными, совсем обычными женщинами?! Давно не любимой женой и примитивной, недоброй дочерью?!

В баре неподалеку от дома Константина-старшего знали. Он туда часто захаживал. И сына приводил — учил не бояться толпы, шума, криков футбольных болельщиков. Иные посетители выступали: больной подросток оскорбляет, мол, глаз, и вообще — с какой стати детей приводить в питейное заведение? Но владелец бара сам после аварии без руки, поэтому за инвалидов горой. Константину-старшему выдал максимальную скидочную карту, а специально для Кости-младшего держал бумагу, акварельные краски, карандаши.

Беда с сыном и горе отца потрясли хозяина и сотрудников.

В любом другом заведении давно бы настолько пьяного выставили за дверь, но тут — опекали. Заставляли закусывать, отпаивали горячим чаем. Водку, правда, тоже перестали наливать, и Константин-старший несколько раз безуспешно пытался подняться, чтобы дойти до магазина и купить там. Но перед глазами плыло, ноги не слушались. Он снова падал на стул, ронял голову на руки. Потом наконец забылся тяжелым сном.

А когда открыл глаза — за окном уже зачернел вечер.

«Косте холодно сейчас в морге», — мелькнула мысль.

Выпить. Срочно выпить.

И тут услышал:

— Это ведь Саймон его погубил.

Поднял глаза. За его столиком сидит незнакомый тип. Хлебает кофе.

Константин-старший прошептал — говорить громко губы не слушались:

— Дик тут при чем?

Ричарда Саймона, учителя Костика по ИЗО, он уважал. Да, американец не хватал звезд с неба, но педагог и должен быть ремесленником. Немного занудой. Кто сам талантливый художник, с больными детишками возиться не будет.

А неведомый сосед пожимает плечами:

— Так мог бы детей из-под огня увести. Или хотя бы собой закрыть. А он сбежал, словно заяц.

— Н-никуда н-не сбежал, — возразил Константин. — Ч-что п-против с-снайпера с-сделаешь?

— Не снайпера, а подростка, — хмыкнул собеседник. — И у тех, кто защитить пытается, пули в груди. А этому оба раза в спину попали. Когда тикал.

— Не в с-спину. В п-плечо.

— Ты больше телевизор смотри! И пропаганде верь. Специально все делают — чтобы скандала не было. Американец, с инвалидами работал, поэтому его и покрывают. А на самом деле — он тут гораздо глубже замешан.

— Как? — опешил Константин-старший.

— Давно бы мог сам все узнать. А ты водку лакаешь, нюни распустил, — презрительно укорил любитель кофе. — А убийца твоего Костика из больнички скоро выйдет и в Майами улетит. Под солнцем валяться, девок щупать.

— Да с чего он-то убийца?!

— Да с того. — Мужчина понизил голос. — Роберт твой тому парню, который стрелял, за десять минут до урока звонил. И детей специально посадил на открытом месте — прямо на линии огня.

— Зачем?

— Затем, что ненавидят нас американцы. И чистенькими выходить умеют. Сам ни при чем, а трое погибли.

Допил залпом кофе, молвил сурово:

— Короче, сорок вторая больница, второй корпус, седьмой этаж, палата семь ноль четыре. Решай, конечно, сам, но завтра к нему охрану приставят. Так легко уже не подступишься.

Швырнул на стол тысячную купюру — и как не было.

К столику немедленно подскочил владелец бара. Ласково произнес:

— Константин, вам получше чуть-чуть? Может, домой пойдете?

— Да. Пойду.

Отец тяжело поднялся.

Дал довести себя до гардероба. Одеть. Но ехать на такси отказался категорически. До дома два шага. Он почти в полном порядке. А еще по пути надо купить водки. И хорошенько обдумать все, что говорил незнакомец.

Римма

Нурлан вымотал меня так, что в сон провалилась, будто в теплое море.

Пробудилась в три часа дня.

Полицейского в квартире не было. О *грехопадении* напоминали лишь смятая постель и кремовые розочки на его торте.

Терзать себя раскаянием я не стала — наоборот, начала искать плюсы. И нашла целых три.

— Я получила удовольствие.

— Отомстила вероломному Синичкину.

— К тому же у меня теперь *свой* человек в полиции.

Непросто добывать информацию через постель — но совместить полезное с приятным. Что может быть лучше?!

Я встала, отрезала огромный кусок от Нурланова торта и немедленно его схомячила — безо всяких даже чаев-кофеев. Потом снова завалилась под одеяло и задумалась, что делать дальше.

Расчетный час в моем отеле давно миновал, на сегодняшний самолет в Москву я тоже не успею. *Да мне и не хотелось туда лететь.*

В памяти немедленно всплыли черные глаза, смуглое лицо, сильное тело, что вдавило меня в постель.

У меня имеется довольно богатый опыт *делового* общения с полицейскими из небольших городов. Паша несколько раз отправлял в командировки — Рошаль, Дмитров, Иваново. И тамошние представители силовых структур, когда к ним обращалась столичная штучка, постоянно распускали хвост, строили из себя крутых шерифов, говорили красиво, но не по делу или напускали туману. Я просто костьми ложилась, чтобы выведать у местных Пинкертонов хотя бы крохи информации. А им какое-то садистское удовольствие доставляло скрывать от московской сыщицы даже самые очевидные вещи.

И со всеми ними не переспать хотелось, а по щекам надавать.

То ли дело Нурлан! Джентльмен, обаяшка. Накормил, обогрел, лекарства принес. Да еще всеми деталями расследования честно делился — еще до секса. Без экивоков и блеянья про служебную тайну.

А уж после всего, что между нами было, точно поможет мне узнать, кто все-таки погубил несчастную балерину.

Я считала себя виновной в гибели Ольги.

Она ведь на встречу со мной шла. А встретила свою смерть.

Что настолько важное балерина могла внезапно вспомнить? Зачем ей понадобилось вызывать меня ночью, в уединенное место?

Или Ольгу специально выманили? И сообщение отправляла не она, а убийца? Чтобы меня подставить? А что, неплохая комбинация. Эсэмэска от балерины в моем телефоне, я на мостках, в воде ее труп. Могли и в убийстве заподозрить... Повезло, что я сама в полицию позвонила. И люди на вызов приехали адекватные.

Взгляд упал на ватник Нурлана — он так и лежал на батарее, потому что в девять утра был еще влажным.

Я не поленилась вылезти из постели, проверить — теперь высох полностью.

И страшно обрадовалась, что появился повод.

Немедленно позвонила черноглазому полицейскому. Наверное, сейчас он тоже отсыпался после суток и секса — у себя дома. Однако ответил на втором гудке, бодрым голосом:

— Алло!

Мне явно обрадовался и сразу предложил:

— Римк, поехали со мной обедать!

Отказываться я не стала.

* * *

Русский мужик после бессонной ночи обычно бледен и вял. Но на смуглом лице Нурлана ни намека на усталость я не увидела. Я улыбнулась:

— Тебе спать вообще не надо?

Ответил мгновенно:

— Меня любовь с тобой возродила.

Эффектно выражаются псковские полицейские. Мне было приятно.

А Нурлан продолжал осаду:

— Ты такая красивая! Феерически, бомбически, фантастически!

И столько страсти во взгляде, что никаких сомнений, какой конкретно он предпочтет десерт.

Ладно, посмотрим, чего больше захочется лично мне.

Нурлан распахнул передо мной дверцу своей скромной «Нексии». Объявил:

— Едем в Псков. Здесь обедать все равно негде. Единственная столовая закрыта.

Я не стала спрашивать почему.

— Ты пиццу любишь? — поинтересовался он.

— Сейчас я даже на крокодила готова.

— А их едят?

— На Кубе пробовала. Довольно жесткий и сладковатый.

— Круто. Давно мечтаю там побывать, — вздохнул Нурлан.

Я слегка встревожилась.

Секс, безусловно, получился потрясным.

Но если я использую Нурлана, чтобы получать служебную информацию, может, и у него *виды?* На переезд в Москву, мою квартиру, совместные заграничные поездки (каковые вряд ли возможны на *его* полицейскую зарплату)?!

«Будь осторожна, Римма», — предупредила себя я.

Поели мы быстро — нежнейшая пицца со странным названием «Пять сыров» сама растаяла во рту.

А потом черноглазый полицейский вдруг предложил:

— Тут рядом парк. Погуляем?

Мне совсем не хотелось идти на холод, но я бодро кивнула:

— Конечно.

Мы вышли из пиццерии.

— Подожди, — сказал Нурлан.

Открыл багажник «Нексии», достал оттуда пакет:

— Здесь пуховик. У сотрудницы нашей взял. Размер вроде твой.

Я благодарно улыбнулась. От реки Великой мы теперь были далеко, но ветер продолжал выть и хлестать по щекам, а бумажная моя курточка после того, как побывала в воде и в стиральной машине, защищала от холода еще хуже.

Карусели в парке замерли, народу никого. Нурлан, однако, все равно мимолетно огляделся и только потом сказал:

— Есть новая инфа по делу. Интересно?

— Конечно!

— Мы отработали жилой сектор и нашли интересную вещь. Соседка из дома напротив ночью вставала в туалет и видела у дома Георгия незнакомую машину. «Девятку».

У меня загорелись глаза:

— А номер?

— Только две цифры разглядела. Но на въезде в Прасковичи видеокамера. Остальное оттуда взяли. Машинка угнанная. Из Дна.

— Откуда?!

Он усмехнулся:

— Городское поселение Дно. Административный центр Дновского района Псковской области. Километров сто десять отсюда. В сторону Москвы.

— А, знаю. Там царь Николай отрекся. И когда, говоришь, машину угнали?

— Хозяин только в восемь утра заметил и заявил. Но если в половине пятого тачка была у нас, значит, не позже трех.

— И где она сейчас?

— Нашли сегодня в половине десятого. В Пскове. Недалеко от вокзала.

Я возликовала:

— Так все понятно тогда! Вот тебе готовая версия. Некто выехал из Москвы вечером. Домчался до этого вашего Дна. Спрятал там свою тачку. Угнал «девятку». Добрался на ней до Прасковичей. Когда убил Ольгу — вернулся в Псков. А потом бросил угнанную машину и на электричке отправился обратно в Дно. Уже утро, поезда ходят. Там вышел, нашел свой транспорт, сел за руль — и домой.

— Шустро мыслишь, — похвалил Нурлан.

— Надо теперь в Дновском районе записи с видеокамер запросить, — продолжала искрить идеями я.

— Я запросил. Но особых надежд не имею.

— Почему?

— Во-первых, потому что это не Москва, а Дно. А во-вторых, у нас есть готовый кандидат.

— Кто?

— Как кто? Георгий. Ольгин жених.

— Только потому, что он за убийство сидел?

— Не только. Та же соседка бдительная показала: ссорились они с Ольгой. Пожениться не успели, а он ее уже ревностью изводил.

— А как же «девятка» у их дома?

— «Девятку» тоже имеют в виду. Но связь между ней и убийством доказывать сложно и долго. А Георгий дважды судим. И на Ольгином теле полно синяков. Двух-, трех-, пятидневной давности. Жених уже признался: поколачивал. Чтоб столичную дурь выбить. Классика бытовых преступлений: сначала побои, потом убийство.

— А я? А ее эсэмэска?

Нурлан погрустнел:

— Мы, к сожалению, в провинции. Здесь не любят усложнять, если есть готовый подозреваемый.

— Но ты-то не думаешь, что Ольгу убил жених?

— Нет.

Я решительно произнесла:

— Надо выяснить, что опасного Ольга могла знать. Или *узнать* — в ночь своей смерти.

Нурлан секунд на двадцать задумался и добавил:

— Не исключаю, что убийца даже не ведал, за что ее убивает. Банально исполнял приказ.

— Чей?

— Того, кому Ольга помешала.

— Например, Долматову, — кивнула я. — Он угрожал ей в театре. Потом увидел себя в «Новостях». Испугался, что она свяжет его с убийствами, — и устранил. Сам — или чужими руками. Может такое быть?

— Да может, конечно. — Особого энтузиазма в голосе Нурлана я не услышала. — Но зачем? Инцидент в антракте, я так понял, прошел без свидетелей. А что парень мимо места убийства проходил случайно, так это вообще не повод для волнений. Поставь себя на его место. Стала бы ты такую сложную комбинацию затевать? Ольгу ведь еще найти не так просто, раз она телефон сменила и из Москвы сбежала.

— Ну, я-то ее нашла. А он мог еще проще найти.

— Каким образом?

— А вдруг тут мой заказчик замазан? — задумчиво проговорила я. — Он ведь знал, что я в Прасковичах и Ольга находится здесь.

— Но разве ты называла ему адрес, где она живет?

— Конечно, нет.

— Ты сама говорила, Федор вчера в шоке был. Чуть не плакал. И, главное, какой у него-то мотив?!

— Может, Ольга беременна от его брата?

— Ну и что? — пожал плечами Нурлан. — Тот недееспособный, за изнасилование не посадят.

— В тюрьму нет, а в психушку — да. Брат, возможно, решил его защитить.

— Но раз смерть насильственная, обязательно вскрытие будет, — мягко напомнил Нурлан. — Имеется ли беременность, кто отец — выясняется элементарно. Разве Федор настолько глуп?

— Нет. Он совсем не глуп, — твердо сказала я.

— Тогда твоя версия не годится.

— Пожалуй, — неохотно согласилась я.

— Кстати, я не исключаю, что ты в Москве получишь новый заказ.

— Какой?

— Ну, если брат этого Федора влюблен в Ольгу... а ее убили... наверняка парень захочет выяснить, кто это сделал.

Я фыркнула:

— Нурлан, ты когда-нибудь видел аутиста?

— У нас в подъезде даун живет, — серьезно ответствовал полицейский. — Но тот совсем ку-ку. А твой заказчик, ты говорила, сам в агентство пришел. Значит, соображает. Не хуже Дастина Хоффмана.

«Даже объяснять ничего не буду», — решила я. Представила прекрасные, дико печальные, одинокие глаза Ярика, когда тот узнает о смерти Ольги, и едва сама не разрыдалась.

* * *

Иногда непонятно, кто тебя за руку ведет — Бог или дьявол.

Константин-старший вышел из бара — и немедленно, через дорогу наискосок, замерцала призывная вывеска винного.

«Только не водку, — подумал он. — А вот поддержать организм надо. Бальзам, допустим, или ликер на травах».

Но подошел ближе, взглянул на безвкусную пестроту витрин (сын всегда возмущался, когда видел аляповатые краски) — и проследовал мимо. Не спасет его никакой бальзам. Только на душе станет еще чернее.

Но куда пойти?

Мысль о доме, где на него немедленно посыплются утешения и упреки, сразу вызвала рвотный позыв.

Всех старых друзей он растерял, как только стал отцом *особого ребенка*. К новым знакомым — у кого дети-аутисты — тоже идти не хотелось. Измучают сочувствием. Да и мужчин среди них почти нет...

Константин-старший только сейчас отчетливо и остро понял, как ему будет не хватать молчаливых вечеров с сыном. Тикают часы, жена с дочкой хихикают где-то далеко на кухне, Костик высунет от усердия язык и браслеты из резиночек плетет (занятье девчачье, но полезное, развивает мелкую моторику), отец — в Интернете серфит. Психологи обожают врать, будто аутисты ни к кому не испытывают привязанности. Да, сын, и правда, никогда не ласкался, не клал голову на плечо. Но изредка взглядывал исподлобья, и читалось в глазах: обниматься не буду, но жизнь за тебя, батя, отдам.

А чертов американец ребенка не уберег.

«Может, правда, — закралась мысль, — Ричард по злому умыслу действовал?!»

Антонина Валерьевна, начальница Центра, уверяла: на самом деле Саймон сделал что мог. Кричал детям, чтобы ложились. Одну из девочек сам на землю повалил. На ти-ви тоже утверждали: герой. Но говорили и о том, что убийца стрелял в открытую. Сопляк-подросток с папиным ружьем палил с забора, метрах в десяти от места, где сидели дети. Да любой бы русский мужик не метался бестолково по пленэру, не детей прикрывал, а бросился остановить гада.

«И ты бы пошел — с голыми руками против ружья?» — охолонул себя Константин-старший.

Ему немедленно вспомнился анекдот, что на медведя с рогатиной наши крестьяне отправлялись исключительно зимой. Потому что летом наваливалось много работы и напиваться времени не было.

«Не виноват ни в чем Ричард. Но раз уж знаю теперь, где лежит, навещу его. Хотя бы спрошу, каким Костик был в последний момент. Может, что-то сказал? Попросил?!»

Константин-старший достал навигатор. Руки подрагивали, но вбить в окошко «больница 42» оказалось несложно. Удивился: так это рядом совсем! А он и не знал. Дальше надо дальнозорким взглядом рассмотреть время на наручных часах. Ого. Почти десять вечера. Кто его пустит сейчас в больницу? Но завтра, сказал незнакомец, к Ричарду приставят охрану, и служивые люди ни в жизнь не поверят, что он пришел просто поговорить.

Когда-то, еще студентом, Константин любил по пути к дому от метро «Бабушкинская» забредать на территорию двадцатой больницы. Сам не понимал, чем манило, но очень хорошо ему там курилось, отдыхалось, о вечности думалось. С медсестричками хорошенькими опять же перемигнуться любил. И его (хотя не положено посторонним на территории) на входе тормозили крайне редко. А если не пускал ретивый охранник — лазов в заборе полно.

Неужели сейчас не сумеет пробраться?

Пара километров на сыром весеннем воздухе взбодрили, окончательно выветрили алкоголь. Константин-старший порадовался, что смог остановить пьянку. Не дело это — на похоронах единственного сына лыка не вязать.

Он шел все быстрее, и с каждым шагом расслабленная походка страдающего и выпившего менялась. Теперь он старался идти, как доктор, — быстро, уверенно, деловито.

Тайный ход в заборе искать не стал принципиально. Рванул дверь проходной, кивнул казаху-охраннику:

— Амансыз ба.

Парень (все прочие считали его узбеком и говорили «салям алейкум») что-то ответил на своем наречии. Константин в разговор не вступил, улыбнулся приветливо и уверенно проследовал на территорию. Снова, с горечью в сердце, вспомнился сын. Когда Костику было лет пять, он где-то услышал слово «чурки» и стал с большим вкусом и удовольствием его повторять. Константин-старший не имел цели защищать малые народы, но банально боялся, что сыну *(придурку)* за повторение неполиткорректного слова дадут в глаз. Потому усадил ребенка за компьютер и научил различать казахов, киргизов, узбеков, таджиков. Заодно по нескольку слов на каждом наречии выучили. «Они такие разные», — удивился сын. В итоге получилась большая польза. Слово «чурка» навсегда исчезло из обихода Костика, плюс восточные люди на его рисунках теперь были не все одинаковые, а каждый со своим лицом. Отцу случайное знание тоже иногда пригождалось. Как, например, сейчас.

Рассматривать на глазах охранника план больницы Константин-старший не стал. Сам разберется. Прошел по центральной аллее и вскоре увидел семиэтажный корпус с огромной цифрой «2» на фасаде. Официальный вход выглядел неприступным, за стеклом маячили фигуры двух цепных псов в форме ЧОПа. Идти против них напролом отец не решился. Взялся обходить длинное здание по периметру и очень скоро наткнулся на неприметную дверку, возле которой курили двое в мятых больничных халатах.

Хмуро взглянул, буркнул:

— Режим нарушаем?

Тот курильщик, что помоложе, спрятал папироску за спину. Второй нахально отозвался:

— А мы сердечники. Нам доктор сказал постепенно бросать.

«Роль строгого врача мне, кажется, удается», — усмехнулся про себя Константин.

Рванул дверцу, вошел внутрь, попал в пустой и темный коридор. Здесь омерзительно воняло столовой и хлоркой.

Торопливо дошагал до холла, увидел лифт, вызвал, вошел. Нажал кнопку седьмого этажа. Снова вспомнилась юность, как пробирался ночами к девчонкам в общагу. Мать ворчала, боялась, что «деревенщину» в дом приведет. В итоге сын выбрал *породистую*. Прописка у нее в Москве имелась, а вот здорового ребенка родить не смогла. И полюбить больного — тоже.

«Ричард и то больше Костика понимал».

Раздобыть кипятка, заварить чаю. Просто посидеть рядом. Вспомнить. Поговорить.

Когда Константин-старший тихонько растворил дверь в семьсот четвертую палату, американец спал. Плечо и щека перевязаны, но лицо безмятежное. Что-то хорошее ему снилось — явно не расстрел в парке.

— Дик. — Отец осторожно потряс больного за плечо.

Саймон вскрикнул. Увидел, узнал. Отшатнулся. Глаза панические, почти безумные.

— Ты чего? — удивился Константин.

— Как вы сюда попали? — разом побелевшими губами выговорил американец.

— Отделение не заперто. Медсестра спит, — улыбнулся отец.

— Но это... это. — Американец забился в самый дальний угол кровати. — Это незаконное вторжение!

— Чего ты несешь? — Константин-старший продолжал благодушествовать. — Я тебя навестить пришел.

— Ночью? — визгливо произнес Дик. И заорал неистово: — Помогите!

Константин опешил: парень хочет, чтобы сюда вся охрана сбежалась?

И сделал самое разумное, что в голову пришло — зажал американцу рот. Видно, задел раненую щеку — тот поморщился, на глазах показались слезы.

Отец слегка вывернул живописцу кисть, дохнул в ухо:

— Не сходи с ума. Давай просто поговорим.

И чуть отнял ладонь от Дикова рта. Взволнованно произнес:

— Костик, когда умирал... успел сказать что-нибудь?

Американец взглянул с ужасом. Залепетал бессвязно:

— Я не знаю. Не слышал. Я не виноват.

— Да кто тебя в чем обвиняет?!

— Мне никто не платил! — продолжал истерить американец. — Я вообще ни о чем не догадывался!!!

Константин нахмурился. Хотя и пытался забыть незнакомца-провокатора, но кое-что в голове засело.

— Ты что, *правда* этому подростку звонил?

— Нет!

Но глаза мечутся в страхе.

Отец нахмурился:

— Ты звонил. Зачем?

— Леня иногда ходил ко мне на занятия. Я хотел позвать его...

— Он тоже посещал Центр реабилитации?

— Это... это было неофициально...

«Какой-то бред». — Константин откровенно растерялся.

Может, незнакомец прав? И Ричард, прекрасный педагог и добрейший человек, банально продал своих подопечных?!

С чего бы иначе ему в такую панику впадать?

— Сколько тебе сребреников заплатили, Иуда?

Что российской зарплаты дома инвалидов американцу не хватает, всегда было видно. В чиненых рубашках ходил, стригся раз в полгода. Неужели устал от нищеты настолько, чтоб убить детей — практически своими руками?!

Константин — ошалевший, сам почти убитый — машинально выпустил кисть американца. И тот взорвался новым воплем:

— Help!!![1]

Отец — ради сына и вместе с ним — занимался самбо. Реакция была отменная — куда худощавому педагогу тягаться! Мгновенный захват за шею, второй рукой снова зажать рот... Палата на отшибе, медсестра, видно, спит крепко.

Ричард отчаянно вырывался. Откуда только силы взялись — с раненым плечом? Или нет никакой раны? Пуля, больница — все цирк, подстава?!

Константин хотел просто как следует напугать и задать пару вопросов. Но субтильный господин

---

[1] Помогите!!! *(англ.)*

Саймон непонятным образом извернулся и сумел лягнуть его в солнечное сплетение.

Отец охнул — и в ярости долбанул американскую голову о железные прутья кровати. Ричард сразу обмяк, упал на койку, глаза закатились.

Константин слегка потрепал его по щеке:

— Эй, Рич?

Изо рта иностранца потекла струйка крови.

Отец прижал палец к сонной артерии — пульс несколько раз дрогнул и исчез. На губах Саймона показались пузыри.

«Дьявол! Что я натворил?!»

Накатили раскаяние и страх.

В палату никто не бежит — медсестра на сестринском посту, похоже, ничего не услышала. Здесь его никто не видел. Но охранник? Курильщики? Несколько видеокамер? Константин и не думал от них закрываться. Шансов, пожалуй, нет.

Лицо у Ричарда — обиженное, жалкое.

И никаких на самом деле доказательств, что он подставил детей под пули.

А вот его — взрослого, но пьяного и убитого стрессом мужика — грамотно накрутили и развели, словно лопуха.

«Я стал убийцей».

Все, каяться поздно. Не жалей себя и не паникуй. Действуй здраво и трезво.

Константин перевернул американца набок — лицом от входа, закутал в одеяло. Отпечатки стирать не стал. Он понимал: его все равно вычислят.

Надо проститься со свободой красиво. Немедленно в такси, заехать домой — взять заграничный паспорт — и прямиком в аэропорт. Улететь ночным рейсом в любую страну — и пожить хотя бы несколько дней полной жизнью. Без решеток на окнах и без постылых дочки с женой. Да и любимого сына в гробу ему тоже видеть не хотелось.

* * *

В восемь вечера у Федора была назначена индивидуальная тренировка, и куда-то пристроить Ярика опять не получалось.

Занятия в Центре реабилитации приостановили.

А надежды на матушку не оправдались.

В тот же день, когда Ярик сбежал из дома, Федор уговорил родительницу подшиться. Та чувствовала себя виноватой, что проспала и не заметила, как младший исчез, поэтому согласилась. Съездили к наркологу немедленно. Но мать, как все только что бросившие, ходила злющая, раздраженная. Только заикнулся, что вечером надо с младшим опять посидеть, пригрозила:

— Развяжу.

Нет, только не это.

Да маман вряд ли и справится с Яриком, если на того *накатит*. Расстрел хорошо знакомых людей на подростка подействовал странно. Он не переживал о погибших, не рвался навестить раненых. Но жадно, постоянно, с горящими глазами смотрел криминальную хронику.

— Что ты хочешь увидеть? — злился Федор.
Ярослав безмятежно улыбался:

— Мне просто нравится.

— Что?

— Когда все говорят про наш Центр.

— Там твои друзья погибли! Учитель в больнице!

— У меня нет друзей, — хлопал глазами Ярик. —
И к этому учителю я никогда не ходил.

Федор позвонил лечащему врачу брата, описал
ситуацию. Эскулап категорически рекомендовал
просмотр телепрограмм ограничить: «Его может
зациклить на этом расстреле. Что вызовет ответ-
ную агрессию».

Антенну у телевизора отключить элементарно.
Но брат в последнее время проявлял удивитель-
ную смекалку. Хотя программирование знал ми-
нимально, пароль материного телефона взломал
без проблем. А когда отобрали, нашел в шкафу
давно сдохший планшет. Реанимировал, подклю-
чил к Интернету. Даже к соседям ходил однажды.
Только ради того, чтобы снова увидеть на экране
телевизора двор, где он сам много раз бывал.

Заело, короче. Подобное с Яриком многократно бывало.

Нужно срочно переключить внимание. На что-
то не менее яркое и значимое.

Звонить Римме не хотелось чрезвычайно. Но
иного выхода Федор не видел.

Девушка отозвалась сразу. Судя по звукам, что
шли фоном, пребывала она не на работе. Играла
музыка, шумела дорога.

— Отвлекаю? — сухо спросил Федя.

— Да, мне сейчас не очень удобно говорить, — прочирикала она. — У вас что-то срочное?

— Да. Можете Ольгино звуковое письмо прямо сейчас выслать?

— Ну... — Римма задумалась.

Федор досадливо добавил:

— Если вы о расходах, то ваша благотворительность мне не нужна. Я все оплачу. Могу на карту сбросить. Прямо сейчас.

— Я просто хотела сама письмо Ярику отдать. Ведь заказчик он.

— Ой, не смешите, — хмыкнул Федор. — Заказчик — тот, кто платит. Десять тысяч вам хватит?

— Вполне, — сухо отозвалась девушка. — Карта привязана к номеру телефона. Высылайте деньги — и я сразу отправлю письмо.

Голос обиженный. Вот бабы чудные! Им платишь, а они еще дуются.

Но думать об особенностях женской психологии Федору было некогда — и не хотелось.

Перебросил деньги, получил письмо. Просмотрел. Хмыкнул. Перегнал его на планшет. И приказал Ярику:

— Собирайся. На работу со мной пойдешь.

— Не хочу, — надул губы брат. — Не хочу сегодня прыгать.

— Никто тебе и не разрешит. Вечер, народу полно.

— Просто сидеть тоже не хочу.

— Я тебе в батутном центре одну игрушку дам.

— Какую?

— Классную. Тебе понравится.

Ярик давно подросток, но игрушка для больного аутизмом — вещь сакральная. Так что больше не препирался, почистил зубы, сменил домашние треники на джинсы, даже подмышки помыл безо всяких напоминаний.

К без пятнадцати восемь пришли. Администратор взглянула недовольно:

— Федя, у нас аншлаг. Зачем ты его привел?

— Оставить не с кем. Он в баре тихонько посидит.

— Как в прошлый раз? Когда четыре пирожных украл?!

Аутисту крайне сложно объяснить, что нельзя брать то, что свободно лежит на прилавке. За кондитерские изделия Федор, разумеется, заплатил. Но и администраторшу можно понять. Лично она против Ярика ничего не имела. Но когда младший брат вдруг начинал беспричинно смеяться или отбирал у юных посетителей конфеты, жаловаться шли именно к ней.

— Я с него глаз не спущу, — пообещал Федор.

Отвел Ярика за столик, ближайший к сетке, что отделяла сектор прыжков от зоны ожидания. Протянул планшет, наушники. Сказал:

— Файл «Письмо». Сиди. Смотри. Молчи. Вскочишь или вякнешь хоть слово — прямо здесь врежу. Понял?

— Какое письмо? — растерялся брат.

— Оля твоя прислала, — проворчал Федор.

Ярик просиял:

— Она написала? Мне?!

Дрожащей рукой нажал на кнопку просмотра.

— Сначала наушники! — рявкнул Федор.

И рысью понесся в раздевалку — клиент уже явился, разминался за сеткой, поглядывал недовольно.

Индивидуалка на час, потом группа, потом еще одна индивидуалка. Интересно, на сколько хватит Ярика?

Федя постоянно поглядывал на брата.

Миновало пятнадцать минут, тридцать, сорок — а тот все смотрел и смотрел на экран планшета. По лицу текли слезы. Посетители оборачивались на него и шептались. Администратор несколько раз прибегала проверять, все ли в порядке.

«Погонят меня с работы, если еще раз сюда его приведу, — подумал Федор. — Ну и ладно. Надоело до черта лопухов натаскивать».

Его канал на «Ютьюбе» наконец начал приносить деньги. Знающие люди говорили: главное, что процесс пошел. И очень скоро суммы удвоятся, утроятся, удесятерятся.

Но, хотя мысли и далеко, тренировку вел продуманно, четко. Как самого когда-то дрессировали, так и начинающих паркуристов гонял. Только в отличие от тренеров по гимнастике не матерился и по шее не давал.

Через час Ярик рыдать перестал. Но пересматривать письмо (всего-то восемь минут) по-прежнему продолжал. А еще начал нежно водить пальцем по экрану планшета и робко улыбаться.

Федор почувствовал: напряжение его отпустило. *Игрушка* сработала. С виртуальной Олей Ярику куда проще. Она всегда рядом, всегда смотрит ему в глаза. И никаких отношений строить не надо. Что-то вроде резиновой куклы.

Может, и правильно он сделал, что Римку на поиски балерины отправил.

Шустрая девица. Быстро справилась. Может, ее в ресторан сводить? Покадриться, а заодно и что-нибудь полезное выведать?

Идея показалась здравой. Продолжал тренировку и одновременно размышлял, куда лучше сводить, какими словами озвучить приглашение, какие вопросы задать за ужином. Мысли улетели настолько далеко, что едва успел подстраховать клиента, когда тот неудачно закрутил заднее сальто. Отругал:

— Куда ты прыгаешь, если разгона нет?!

Чтоб исправить ошибку, велел повторить — раз, второй, третий.

А когда достигли совершенства, посмотрел наконец в сторону Ярика.

Планшет лежал на столе. Но стул брата оказался пуст.

Римма

После прогулки в промозглом парке Нурлан снова заботливо растворил передо мной дверь машины, включил музыку (по счастью, не шансон), печку, и мы поехали обратно в Прасковичи.

О делах больше не говорили. Он живо интересовался Москвой. Спрашивал не про зарплаты или театры (любимая тема провинциалов), но о чисто практических вещах. Сколько — в среднем — народ добирается до работы, чего стоит аренда однушки, можно ли ночью приткнуть машину во дворе и не сопрут ли магнитолу. Я добросовестно отвечала. Сама между делом выведала: Нурлан не женат, живет с родителями, сестрой и племянниками. В «двушке» ужасно тесно (не жаловался, просто констатировал), поэтому он охотно подменяет коллег на сутках — «в дежурке хоть иногда поспать получается».

Когда подъезжали к Прасковичам, уже после семи вечера, позвонил Федор. Говорил сердито, взвинчено. Потребовал — именно так! — подать ему письмо Ольги. Немедленно. Я начала было упираться, но когда клиент предложил заплатить за то, что я собиралась сделать даром, отказываться не стала. Дождалась денег и немедленно отправила ему звуковой файл.

Формально заказ был исполнен. Но я не сомневалась: *дело аутистов* еще долго будет со мной.

Впрочем, думать о нем сейчас мне совсем не хотелось. Горячая рука Нурлана лежала на моем колене.

Он припарковался, прошептал:

— В багажнике пирожные. Лучшие безе во всем городе...

Я не стала притворяться, будто не понимаю намеков.

Из машины вышли вместе.

В квартире Нурлан предложил:

— Давай я чай заварю? У меня вкусный получается.

Ну, просто идеальный человек. Синичкин — тот всегда сразу валится на диван и хлопотать на кухне предоставляет мне.

Ладно, побуду и я королевой.

Прилегла на кровать поверх покрывала, включила огромный телик. И немедленно нарвалась на ток-шоу Олега Малахитова. На заднем плане алел плакат-название: «ГЕРОЙ ИЛИ НИЧТОЖЕСТВО?»

— Ой, Нурлан, смотри!

Он накрыл заварочный чайник двумя полотенцами и присел рядом.

Бегущая строка внизу экрана услужливо сообщала, что посвящена программа Лене Симачеву, школьнику-снайперу. Оперативно телевизионщики действуют!

В экспертах, как всегда, сидели третьесортные певички и артисты — мастера эпизода. Но гости оказались интересными: две одноклассницы; школьный психолог; двоюродная тетя Лени. И даже знакомая мне рыженькая девушка Ксюша — администратор Центра реабилитации.

Я иногда смотрела шоу Малахитова и знала, сколь умело он устраивает аутодафе. Однако сегодня тон программы оказался на удивление спокойным.

Одноклассница, ужасно смущенная, бормотала:

— Ленчик сроду никаким монстром не был. Знаете, парни иногда кошек мучают, собакам лапы ломают. А Ленечка плакал, когда однажды синица об окно класса долбанулась — и насмерть.

— Но на него было очень легко влиять, — немедленно встряла тучная дама-психолог. — Он, знаете, однажды курил за школой и мне на глаза попался. Я его к себе в кабинет — и начала наглядными пособиями пичкать. Легкие курильщика. Рак губы в терминальной стадии. На вскрытии трупа с сердечно-сосудистой недостаточностью его трясти начало. Все. С тех пор с сигаретой не видела.

— Слабак, — презрительно прокомментировал (прокуренным голосом) один из экспертов.

Олег Малахитов своим характерным жестом сложил руки на груди:

— Но чем Леня Симачев жил *после школы?* Какая обстановка была у него в семье?

Двоюродная тетя пожала плечами:

— Да нормальная семья. Единственный сын. Мать — бухгалтер, отец — инженер. Оба впахивали. На Леню особо времени не было, но всегда одет-обут. И репетитор у него был. И на плавание его возили.

— А какие он фильмы смотрел? Что за книги читал? — потребовал Малахитов.

Тетя только плечами пожала. Одна из одноклассниц хихикнула:

— Кому сейчас книги-то нужны?

Вторая заспорила:

— Нет, я у него однажды видела книгу! Про каких-то придурков.

В студии засмеялись.

— Это про кого? — улыбнулся Малахитов. — И кто автор?

— Ну... который «Трех мушкетеров» написал.

— Дюма? Александр Дюма?!

— Да. Только книжка совсем тонкая. «Знаменитые преступления». Я случайно заглянула — тошнотно. Там во всех деталях, как кожу шипцами рвут, лошадьми на части раздирают.

— Возможно, Леня прикидывал — как именно ему совершить преступление? — возликовал Малахитов.

Психолог возразила:

— Я бы сказала — просто читал о том, чего сам сделать никогда не решится.

— Однако он решился! Причем, похоже, заранее наводил мосты. В нашей студии присутствует Ксения Сурикова, администратор Центра реабилитации больных аутизмом. Ксения! Вы знали Леонида Симачева?

В отличие от дико смущенных одноклассниц и дамы-психолога, которая не знала, куда деть руки, рыженькая держалась очень уверенно.

— Я не знала, что он Леонид, но я его видела. Да. Этот мальчик приходил в наш Центр на занятия.

— На занятия? Он что, страдал аутизмом?!

— У Леонида был СДВГ[1]. Но у него имелся собственный лечащий врач, — вмешалась психолог.

— А у нас в Центре никого и не лечат, — парировала Ксюша. — Ричард Саймон его рисовать учил.

— Тот самый Ричард Саймон? Чьих учеников расстреляли?

— Ну да, — спокойно отозвалась девушка. — Ричард у нас постоянно доброе-вечное сеял. Готов был всей Москве бесплатно преподавать. Бомжей приводил — их, правда, Антонина Валерьевна, наша начальница, сразу выгоняла. А этот Леня выглядел прилично и вежливый такой. Я хотела с него за индивидуальный урок взять, но Ричард не разрешил. Сказал, что он на общественных началах.

— Потрясающе! — искренне изумился Малахитов.

И вдруг нахмурился. Я (опытный зритель) знала: он так делает всегда, когда редакторы подсказывают в наушник что-то забойное.

Ведущий внимательно взглянул на Ксюшу и резко сменил тему:

— А что вы можете сказать про Ольгу Польскую?

— Ольгу? — вскинула брови администратор. — Ну, это тоже наш педагог. Балет вела. Но недавно уволилась.

---

[1] СДВР — синдром дефицита внимания и гиперактивности.

— При каких-то особых обстоятельствах?

— Да нет, — слегка смутилась Ксюша. — Просто написала заявление по собственному и ушла. В Центре вообще текучка большая. Зарплата неплохая, но с контингентом нашим работать очень непросто.

— Мои коллеги из криминальных новостей только что сообщили, — триумфально молвил Малахитов, — Ольга Польская не просто уволилась, но спешно уехала из Москвы. Сменила телефоны. Оборвала все связи. Однако это не помогло ей сохранить жизнь. Сегодня на рассвете тело девушки обнаружили в Пскове. Ольгу Польскую убили.

— Засранцы! Мы заявления не делали. Кто им информацию слил? — взвился Нурик.

А ровно в этот самый момент Федор, который метался по ближайшему торговому центру, заглядывал в магазины, кафешки, услышал тоскливый звериный вой.

Он сразу узнал голос.

Дальше на него наложились крики — испуганные, возмущенные. Дорофеев бросился в отдел оргтехники — на «зов» брата.

Вся стена здесь была увешана телевизорами. По каждому шло глупейшее (на взгляд Федора) шоу Малахитова. Дорофеев-старший машинально отметил: среди гостей в студии присутствует администратор Центра реабилитации Ксюша.

Но больше на экран не смотрел.

Потому что его младший брат катался по полу, бился головой о плитку и одновременно пытался перегрызть себе вены на правом запястье.

Римма

Чай и безе оказались отличными. Но от секса я получила меньше удовольствия, чем утром.

Нурик — хотя *отрабатывал* добросовестно — выглядел взвинченным. Он явно не мог отключиться от работы и сосредоточиться на мне. А я не люблю, когда во время секса мужчины думают о постороннем.

Я получила свой кайф, но поняла: беззаботно заснуть на плече полицейского не смогу. Не хочу подпускать его к себе слишком близко.

И прошептала — безо всяких вопросительных интонаций:

— Может, поедешь домой.

Ожидала — обидится или снова начнет целовать, но он кивнул и начал одеваться:

— В отдел сначала загляну.

Железный человек.

Но я обиделась. Слишком он легко согласился.

Проводила его и дала себе установку поскорее забыть мимолетное приключение.

Пусть Синичкин мне не покупает безе, но люблю я — именно его.

И немедленно купила по Интернету билет на завтрашний самолет в Москву.

А утром — Нурлану даже звонить и прощаться не стала. Рассчиталась с хозяином квартиры, добралась из Прасковичей до Пскова, сделала селфи на фоне Кремля, а потом поехала в аэропорт.

Самолет оказался почти пустым. Регистрация завершилась молниеносно, а потом мы, жалкая кучка путешественников, долго скучали в накопителе. Кафе, магазинов и даже телевизора в замкнутом пространстве не оказалось, борт еще не прилетел, Интернет работал отвратно. Поэтому среди пассажиров очень быстро завязалась общая и довольно дружеская беседа. Несколько москвичей, что были среди нас, держались крайне надменно. А лично я не люблю, когда родной город считают неприветливым гордецом, поэтому устроила настоящую пресс-конференцию для желающих. Рассказывала, как удобнее добраться из Внуково до центра, где лучше перекусить, а где поужинать с шиком, чтобы потом выложить фотки в соцсети, в какой театр сходить и где достать дешевые билеты.

Особенно ко мне прикипела душистая, наглаженная, чистенькая бабуля с аккуратными кудряшками и на изящных каблучках. Сопровождала ее сурового вида внучка лет пятнадцати. Девица с упоением бунтовала против своей ухоженной родственницы: шаркала грубыми ботинками, не утруждалась поправлять штаны, сползающие с попы, ковыряла в носу и грызла ногти.

Интеллигентная бабушка неприкрыто расстраивалась из-за манер своей спутницы и, похоже, выбрала меня в качестве примера для подражания. Постоянно старалась держаться рядом, вести общий — на нас троих — разговор. Мне ничего не оставалось, как включиться в воспитательный процесс. Я честно рассказывала, что никогда не считалась в школе примерной девочкой, но те предметы, которые нравились, знала отлично. И одеваться в бесформенное прекратила, когда случайно подслушала, что мальчишки между собой зовут меня лесбиянкой.

— А куда вы после школы пошли? — напирала бабушка.

— На курсы секретарей-референтов.

Встретила разочарованный старушкин взгляд и поспешно добавила:

— Но быстро поняла: быть всю жизнь «девочкой подай-принеси» не хочу. Поэтому через год поступила на юридический факультет. Заочно.

— И все успевала. — Бабушка выразительно взглянула на внучку. — И учиться, и работать, и развлекаться.

Я не стала признаваться, что «хвосты» сопровождали меня все шесть лет учебы, и на работу я могу проспать мощно — часов до одиннадцати.

Внучке нужен идеал — пожалуйста, мне не жалко.

Признаваться, что служу секретаршей в детективном агентстве, но веду собственные расследования, не стала. Зато напела целый хорал:

что знаю уголовное, административное, семейное право, а также ювенильную юстицию и арбитраж. Свободно обращаюсь с компьютером, печатаю со скоростью двести пятьдесят слов в минуту и обязательно нахожу время на себя — маникюр, маски, массаж.

— Ногти по клавишам не цокают? — издевательски поинтересовалась внучка.

— Проблема «чайников», — отбрила я. — А люди с опытом печатают беззвучно, подушечками пальцев. — И добавила назидательно: — Кстати, хотя и считается, что мужчинам маникюр безразличен, обгрызенные ногти они всегда заметят и не одобрят.

И радостно отметила: внучка немедленно перестала обкусывать большой палец.

Тут наконец объявили посадку.

— Вы такая замечательная, Риммочка, — растроганно молвила старушка, — удачи вам в делах и в жизни личной!

А уже на трапе внучка, несомненно смущаясь, спросила:

— Ты брови выщипываешь?

— Конечно. Каждый месяц. Если не корректировать — смело можно прибавлять себе десять лет.

— Очень больно?

— Терпимо. Если совсем страшно, можно с анестезией. Специальный крем, лидокаин или коньяк.

Я уселась на свое место, преисполненная гордости. Приятно почувствовать, что кто-то принял меня за идеал. А то Пашуня, любимый начальник, слишком уж часто пенял на мою женскую логику и маленький мозг. Понятно, что шутил, но почти приучил всегда держаться в тени, на вторых ролях.

Однако жизнь стремительно менялась! Недавно я почти сама раскрыла серьезное уголовное дело[1], сегодня возвращаюсь из первой собственной (а не назначенной Синичкиным) командировки. Убийство пока не расследовала, но поручение заказчика блестяще исполнила.

Синь весеннего неба и феерические фигуры из облаков провоцируют фантазию. Весь недолгий перелет я глазела в иллюминатор и, когда самолет приземлился в Москве, настроила множество амбициозных планов. Самым скромным пунктом значилось: покончить с жалкой должностью секретарши и стать как минимум партнером Синичкину. А то и собственное детективное агентство открыть.

На трапе возле меня снова оказались бабушка с внучкой. В доселе пустых глазах девицы я с удовольствием заметила огонек — неужели новую жизнь начнет после моих моралей?

— Риммочка, покажете нам, где аэроэкспресс? — спросила старушка.

— Да можно и поехать вместе, — буркнула внучка.

— Конечно, давайте поедем, — улыбнулась я.

И совсем не обратила внимания, что рядом

---

[1] Подробнее читайте об этом в романе А. и С. Литвиновых «Почтовый голубь мертв».

с автобусом для пассажиров красуется новенький полицейский «Форд».

Но едва моя нога коснулась родной московской земли, попутчиц оттеснили два крепких парня. Один из них жестко и профессионально подхватил меня под локоток, второй пропел в ухо:

— Римма Анатольевна, вам придется проехать с нами.

И практически поволокли к личному (но совсем не почетному) транспорту.

— На каком основании? — пискнула я.

Попыталась остановиться, вырваться.

Бабушка с внучкой дружно открыли рты и, несмотря на всю свою разность, оказались удивительно похожи.

А мне еще крепче сжали предплечье и пригрозили:

— Не шуми. В наручники захотела?

Мы с Пашей, конечно, иногда нарушали закон о частной детективной деятельности. Но чтобы прямо с летного поля волокли в полицейскую машину, нужно быть совсем закоренелой преступницей.

Впрочем, звездочек на погонах у моих мучителей не имелось, и лица выглядели весьма тупыми. Несомненные исполнители, а спорить с подобными кадрами бесполезно — не постесняются и дубинкой врезать. На глазах у всех.

Поэтому самым разумным оставалось лишь покорно последовать за мучителями. Спину жгли взгляды моей скандализованной аудитории: вот, мол, москвичи, людишки с двойным дном! Хвасталась, крутышку из себя строила, советы давала — а кем оказалась на деле?! Манька Облигация, а то и кто похуже.

Зато до Москвы меня довезли бесплатно, быстро и в самый центр.

Я хотела напомнить блюстителям порядка, что сирена с мигалкой теперь включается строго по регламенту. Но распугивать джипы и гнать по встречной мне в целом нравилось, поэтому я промолчала. Пусть преступники трясутся, когда их в полицию везут, а лично я за собой ни малейшей вины не чувствовала. Когда же мы свернули сначала на Садовое, а потом на Петровку, вообще почти расслабилась. Это вам не райотдел где-нибудь на периферии, где что хотят, то и воротят. Здесь профессионалы и по большинству мужчины. Беззащитную, симпатичную и ни в чем не виновную девушку обижать точно не станут.

Однако я жестоко ошиблась. Едва молчаливые курьеры, миновав на автомобиле бюро пропусков, провели меня по зданию и втолкнули в кабинет (с решетками на окнах), сердце ушло в пятки. Ибо за аккуратным до противности столом (ни пылинки, бумажки-стикеры строго по линеечке) восседала дама — возрастная, прокуренная, некрасивая и, несомненно, одинокая. Я для подобных — хуже красной тряпки для быка.

Один быстрый взгляд — и суровая морщина на переносье увеличилась до массивной складки.

— Паспорт! — рявкнула тетка.

Я повиновалась. Аккуратно положила документ на краешек стола — а дальше последовал ловкий взмах в стиле иллюзиониста, и документ мой немедленно полетел в ящик.

— А талон-уведомление об изъятии? — блеснула познаниями я.

— Будет тебе, Римма Анатольевна, и талон. И протокол задержания. Ты что в Пскове делала?

Пусть мчались мы быстро, но обдумать ответы на *очевидные* вопросы я успела. Кротко молвила:

— Ездила как частное лицо. За собственный счет. По просьбе своего знакомого.

— Ага, — усмехнулась мучительница. — «Дорофеев Федор Евгеньевич, с одной стороны, и детективное агентство «Павел» заключили настоящий договор о нижеследующем...» Лицензию свою мне покажи. Кто тебе право дал подобные бумажки подписывать?

Если Федя виделся с этой фурией и отдал ей свою копию договора, мне крышка. А вдруг — ввиду чрезвычайных обстоятельств — в нашем офисе вообще обыск провели?!

Но приходилось рисковать.

— Договора нет, — уверенно соврала я. — Федор мне ничего не платил, и никаких документов мы не подписывали. Это была его личная просьба, и документально мы ее не оформляли. Я... я просто пожалела его брата и поехала в Псков за собственные деньги.

Сейчас она шлепнет на стол бумажку (где моя роспись плюс печать агентства «Павел») — и тогда все. Срок не дадут, но влепят огромный штраф ни в чем не повинному Синичкину. А потом Паша отправится в тюрьму. За то, что меня пришибет.

Однако дама лишь усмехнулась:

— Сказки Шехерезады. Частные детективы стали творить добрые дела. Да еще и бесплатно.

И я вдруг остро осознала, что в их системе я — песчинка, ничтожество.

У полицейской дамы — мой паспорт, власть, неограниченные возможности.

Прочь, прочь, уверенность в себе, что охватила меня в самолете! Ничего не скрывать. Сотрудничать. Прогибаться. Прижать руки к груди. Жалобно молвить:

— Ну что вы ругаетесь! У меня тоже есть гражданская позиция. Я сама собиралась к вам идти. Первым делом, как прилечу. Ольга Польская... погибшая... успела сообщить мне важную информацию. Она может иметь значение для следствия. Я вам все расскажу.

Хорошо бы, конечно, поторговаться, но по лицу хозяйки кабинета я поняла: придется отдавать даром.

— Давай. Все по порядку, — сухо приказала дама.

И я запела соловьем.

Поведала в малейших деталях. Как на духу. Только про неформальное свое общение с Нурланом утаила — это к делу не относилось.

Когда дело дошло до Филиппа Долматова — гордость моих изысканий, — ожидала похвалы. Ну, хотя бы пусть кивнет одобрительно. Однако лицо моей мучительницы оставалось суровым. Она лишь спросила:

— Ольга абсолютно уверена, что ей угрожал именно он?

— Не совсем так, — мягко поправила я. — Ольга была уверена, что мужчина в театре и человек в оцеплении, во втором ряду любопытных, — это одно лицо. Но фамилии его и кто он вообще, она не знала.

— Откуда тогда ты знаешь?

— Я... у меня есть программа распознавания лиц. Профессиональная.

— Где взяла?

— Купила на собственные средства. У официального дилера. Дома и чек валяется.

Ждала наездов из серии «Зачем простому секретарю такая покупка?»

Но женщина по ту сторону стола вдруг улыбнулась. А дальше случилось и вовсе невероятное. Она привстала и протянула мне руку:

— Забыла представиться. Меня зовут Галина Георгиевна.

Я метнула взгляд на часы. Сорок минут моей покорности и полной искренности принесли неплохие плоды.

Но чудеса продолжались. Галина Георгиевна вышла из-за разделявшего нас стола-барьера. Кивнула мне:

— Пойдем.

В углу мрачного, строго казенного кабинета имелась дверца. За ней обнаружилась крошечная комнатушка — там помещались диван, журнальный столик и блюдце с сушками.

— Садись, — махнула она мне.

С удовольствием устроилась на диване сама. Вытянула ноги. Наклонилась, поправила правую туфлю.

— Снимите, — посоветовала я.

— Что? — усмехнулся слегка потерявший свое величие важный чин.

— Если у вас болит косточка большого пальца, надо обязательно каждый час снимать обувь. Хотя бы на несколько минут.

— Спасибо, доктор Ватсон, — хмыкнула Галина Георгиевна.

Туфлю не сняла. Сушек тоже не предложила. И складка на переносье разгладилась не до конца.

Но тон смягчился.

— Римма. Я тоже буду с тобой откровенна. Расстрел инвалидов попал к нам, в отдел резонансных преступлений. Идет активная работа по Симачеву — парню, который стрелял. По телевидению прошла информация, что у него СДВГ, но на самом деле у парня биполярное расстройство. Эти заболевания похожи, но второе — гораздо серьезнее. Парень состоял на учете в психоневрологическом диспансере. Однако считалось: в изоляции от общества он не нуждается. Леня учился в обычной школе. Если возникали сложности в общении, ему помогали лечащий врач и психолог. Как следует из показаний одноклассников, последние несколько месяцев Симачев постоянно говорил о превосходстве белой расы в целом и собственной исключительности в частности. Он в открытую восхищался Гитлером, одобрял теорию «истинных арийцев», вступал в конфликты с представителями национальных меньшинств. Уже есть предварительное заключение посмертной психиатрической экспертизы. Крайне вероятно, что таким образом себя проявляла фаза весеннего обострения, и врач ее проглядел. А безалаберность отца, который не скрывал от сына, где лежат ключи от сейфа с оружием, стала последней каплей.

Я быстро поняла, к чему сей спич.

И, послушной девочкой, кивнула:

— Симачев ограниченно дееспособен. А в какой-то момент у него окончательно съехала крыша, и он пошел стрелять. По тем, кто явно нарушал чистоту расы. Парень был один, и за ним никто не стоял. Я поняла. Никому про Долматова слова ни скажу. Даже Паше.

Галина Георгиевна усмехнулась:

— Я не исключаю, что Долматов замешан. Но кричать об этом на всех углах преждевременно.

— А где он был в день расстрела? — быстро спросила я.

— Ты же видела — среди зевак.

— А потом?

— Ох, шустра девица! — усмехнулась моя собеседница. — Ладно. Вот тебе подарок за откровенность. Мы пока не знаем, где он был днем, но около восьми вечера того же дня Долматов и неустановленный пассажир на автомобиле Филиппа покинули Москву. Двигались по Новорижскому шоссе. Камеры засекли их трижды: под Истрой, потом в районе Нелидово, а дальше в Сапрыгино. Географию знаешь? Куда он ехал?

— Э... думаю, в Псков.

— Возможно. Но в городе его машина не появлялась. Фигурант снова попал в объективы только на следующий день, когда возвращался в столицу.

Я открыла рот — и снова закрыла. Потрясающе! Сначала Нурлан выдал мне служебную тайну про угнанное авто. А теперь Галина Георгиевна фактически его версию подтвердила. Итак, Долматов с подручным доехали до города Дно на своей тачке, там похитили «девятку», отправились на ней в Прасковичи, убили Ольгу, потом бросили краденое средство передвижения в Пскове и на электричке вернулись к машине Филиппа.

— А где этот красавец сейчас? — осторожно осведомилась я.

— Дома и на работе не появлялся, — скупо прокомментировала Галина Георгиевна. — Но, думаю, скоро мы его достанем.

— Только непонятно, — я бесцеремонно схватила сушку и бросила ее в рот, — зачем ему Ольгу-то было убивать?! *Возможно,* он подумал, что она, *возможно,* свяжет его угрозы и убийство?..

— Мы зададим Филиппу этот вопрос, — заверила Галина Георгиевна.

И все-таки сняла туфлю.

— Что требуется от меня? — послушной девочкой спросила я.

— Римма, — улыбнулась сыщица, — сейчас я возьму с тебя подписку о неразглашении. Но это только бумага. А я хочу, чтобы ты поняла и реально прочувствовала: надо держать рот на замке. В данный конкретный момент люди должны знать только о психически больном убийце. Эта версия абсолютно для всех. Для сотрудников Центра реабилитации. Пациентов. Их родителей. Просто обывателей.

Пришлось верноподданнически кивнуть:

— Я ее поддержу. Клянусь.

— Тебя никто не призывает скрывать правду, — снисходительно улыбнулась Галина Георгиевна. — Просто не надо гнать лошадей. Следствие продолжается. Мы изучаем биографию Долматова и круг его общения. Коль скоро выяснится, что он действительно возглавлял некую организацию, исповедующую евгенику, организовывал теракты, использовал для своих целей исполнителей, и, главное, когда его вина будет доказана, — мы об этом объявим. Но только тогда и не раньше. Ты меня поняла?

— А как народу объяснять, кто Ольгу убил? В шоу Малахитова об этом на всю страну объявили.

— Идет следствие, версий много, — пожала плечами моя оппонентка. — Самоубийство. Несчастный случай. Ревнивый муж. Пьяные хулиганы. Попытка изнасилования.

— Но Ольга меня зачем-то вызвала ночью на берег реки...

Галина Георгиевна взглянула холодно:

— Ты кому-то еще собираешься об этом рассказывать?

— Нет-нет, — поспешно отозвалась я.

— Вот именно. Ничего подобного просто не было. А сейчас дай мне свой телефон.

Я опять могла перечислить десяток причин и оснований, почему могу этого не делать. Но пока именно роль примерной девочки приносила плоды. Поэтому послушно ввела пароль, протянул аппарат и даже подсказала:

— Ольга прислала мне обычную эсэмэску. Позавчера, в четыре пятьдесят девять утра.

Галина Георгиевна кому-то переслала эсэмэску, потом сфотографировала экран, а дальше — Ольгино послание уничтожила.

Вернула ногу в туфлю, тяжело поднялась, веско произнесла:

— Никто вообще не должен знать о твоей поездке в Псков.

— А Федор?

— Федор не болтлив, — усмехнулась она. — Как и его брат.

— Но Ярик... влюблен в Ольгу. Вдруг он захочет узнать, кто ее убил?

— Помогать ему в этом не надо, — тепло улыбнулась Галина Георгиевна. — Тем более что ты вообще не имеешь лицензии. Повторяю еще раз. Для непонятливых. Дело громкое, резонансное. Над ним работают лучшие силы. Поэтому любые дилетантские действия категорически недопустимы.

— Что это обязательно дилетантские? — впервые вышла из образа пай-девочки я.

И немедленно получила:

— Имей в виду, подписку о невыезде я с тебя тоже возьму. Так что сиди спокойно в Москве и никуда не лезь.

Никакого она права не имела ограничивать мою свободу. Но мы вышли из кабинета с диванчиком, я посмотрела на толстые решетки, которые украшали окна, и решила, что спорить не буду. Вырваться отсюда просто домой — уже счастье.

* * *

Ксюша Сурикова работала два через два по двенадцать часов, потом еще два дня отдыхала. Кто не знал, завидовал — выходных куча, и работа непыльная. Делай приветливое лицо да на звонки отвечай. Раньше Ксения всем объясняла, что в списке ее обязанностей на самом деле двадцать четыре пункта. И постоянно улыбаться, когда кругом полно придурочных (то есть, простите, *иных*), совсем нелегко. Да еще толковой сменщицы не было. Девочки на ресепшене постоянно менялись, приходилось их обучать — в законные выходные, а когда очередная администратор дезертировала, Ксюша, пока не найдут новую, работала сверхурочно.

После *ужаса,* который случился у них вчера, ее совсем задергали. Полиция, эксперты, нервные родители, журналисты — всем нужна была администратор. Но не дай бог лишнего ляпнуть — начальница Антонина Валерьевна голову продолбит.

К концу второй смены у Ксении просто истерика началась. Говорит привычное: «Чем я могу вам помочь?» — а по лицу слезы текут. Шефине мигом доложили. Явилась. Взглянула. Приказала:

— Иди домой. Отоспись.

Измученная администратор послушно исполнила приказ — даже поужинать сил не осталось. А в начале восьмого утра — звонок. Неутомимая Антонина Валерьевна:

— Ксения, у тебя апельсины есть?

— Чего?

— Давай, просыпайся. Если фруктов нет, сходи в магазин. Купи морсу, еще там чего. И съезди, Ричарда проведай. Что-то он мне не отвечает.

Ксюша, взлохмаченная, обалдевшая от долгого и тревожного сна, села в постели. С какой стати ей ехать к Ричарду? И кто ее в больницу пустит — утром, когда обходы?!

Но не зря про Антонину Валерьевну говорили — она почти господь бог. Противиться ее воле невозможно. Да и задания дает точно по силам.

Ксюше ужасно хотелось в законный выходной вдоволь поваляться, посмотреть под кофеек утреннее шоу, а потом «Модный приговор», принять ванну, сделать маску. Но позавтракала, словно солдат, поднятый по тревоге, достала из холодильника яблоки с мандаринами, выбрала самые лучшие — и помчалась в больницу.

Связываться с охраной не стала — пакет

с фруктами протолкнула сквозь прутья ограды, сама перемахнула через забор. На территории выбрала укромное местечко, сбросила куртку, надела белый халат (стыдно признаться: вместе с бывшим бойфрендом покупали, для игры в «пациента и медсестру»). На нос нацепила очки-хамелеоны, из пакета достала рентгеновские снимки (свои собственные, какие-то старые) — и уверенно проследовала во второй корпус, охранник слова не сказал.

А вот на этаже, она понимала, врача-самозванку куда легче призвать к ответу. Поэтому Ксения долго стояла у стеклянных дверей. Выжидала, пока по коридору перестанут носиться медсестры и расхаживать доктора. Время, к счастью, удачное — около девяти. Наверняка все сейчас на конференцию пойдут.

И не ошиблась: белые халаты и костюмы скрылись в ординаторской, отделение опустело. Семьсот четвертая палата очень удобная, почти у двери.

Ксюша пробралась внутрь. Ричард лежал на боку, нос в подушку, весь в одеяло закутан. Видимо, крепко спал. И только сейчас до администратора дошло: Антонина Валерьевна глупая, что ли? Она *ей* позвонила в семь двадцать. Значит, Ричарду — еще раньше. С какой стати больной человек должен отвечать в столь несусветную рань? Бедняге надо сил набираться, а не вскакивать по звонку взбалмошных русских начальниц.

Однако сейчас уже девять, и как ни жаль, а разбудить Саймона придется.

Ксюша — почти нежно — тронула его за плечо:

— Dick, wake up![1]

Тот даже не шевельнулся.

«Наверно, ему на ночь анальгетик вкалывают со снотворным», — подумала Ксения.

Нежность побоку, потрясла активнее, перешла на родное наречие:

— Эй, Рич, подъем!

И опять недвижим, как колода. А в палату в любой момент могут сотрудники больницы явиться — с градусником, с уколом, с завтраком.

В ухо заорать? В лицо водой побрызгать?

Пока размышляла, вдруг увидела: на простыне — кровавое пятнышко.

Понятно, конечно, что Ричард ранен, могло с повязки натечь, но девушку сразу охватило нехорошее предчувствие.

Она резко рванула американца за плечо. Его тело перевернулось на спину. В лицо Ксюше уставились два открытых мертвых глаза.

Девушка успела подумать: «Визжать — или убегать?»

Но изо рта уже сам собой рвался отчаянный вопль:

— Помогите!!!

---

[1] Дик, просыпайся! *(англ.)*

Римма

Грозное здание на Петровке я покинула только в шесть.

Время близилось к вечеру, театральные подъезды начинали сиять огнями, а вырвавшиеся из офисов клерки одаривали меня кобелиными взорами. Однако я в ответ глядела сурово, попытки познакомиться пресекала. Бодрым шагом дотопала до ближайшего метро «Пушкинская» и отправилась прямиком в Выхино — в наше детективное агентство.

Даже о том, чтобы поесть, не подумала.

Охранник Вася посмотрел уважительно:

— Что, Римма, — горячий след?

— Ага, — с важным видом кивнула я.

Хотя ни уверенности, ни даже малейшего понимания, что делать дальше, у меня не было. А звонить Паше в Индию становилось все страшнее.

Подписка о невыезде жгла подкладку сумочки, одно воспоминание о колючем взоре Галины Георгиевны вызывало мигрень.

Однако «сидеть тихо», как мне велели на Петровке, я вовсе не собиралась.

Перед тем как войти в нашу комнатуху, я первым делом проверила «маячки». Нитка на дверном косяке оказалась на своем месте, крошечного кусочка пластилина на ручке тоже вроде бы никто не касался.

Я отперла офис и первым делом извлекла из сейфа договор между детективным агентством «Павел» и Федором Евгеньевичем Дорофеевым. Рвать не стала — переложила пока что в сумочку. Нужно сначала под любым предлогом забрать у старшего брата его экземпляр — и тогда уничтожить оба. Когда волей случая ты втянута в *дело государственной важности,* следов оставлять нельзя.

Я даже чай пить с дороги не стала. И о том, чтобы поработать пилкой для ногтей (любимое отдохновение!), не подумала.

Мне очень хотелось опередить полицейских и самой найти связь между десятиклассником Леней Симачевым и молодым сомелье Филиппом Долматовым.

Где они могли познакомиться? В Интернете? В спортивном клубе? В психушке, куда школьник ходил на осмотры? Или эти двое просто состояли в *одной* экстремистской организации?

Судя по словам Галины Георгиевны, СМИ пока что скормили единственного — и мертвого — обвиняемого.

Газеты наверняка послушны. Но что скажет пытливый Интернет? Найду ли я там про Долматова хоть слово — в связи с расстрелом инвалидов?

Я включила компьютер. Криминальной новостью номер один по-прежнему стояла «бойня в Центре реабилитации». Средства массовой информации дружно пинали несчастного Симачева, а также:

— школьных психологов,
— безответственных родителей,
— равнодушных к пациентам психиатров,
— жестоких друг к другу подростков.

Общее мнение сформировалось единодушное. Больной на голову школьник Леня в какой-то момент возомнил себя эдаким сверхчеловеком. Чистильщиком. Судией, который дает (или не дает) право на жизнь. Журналисты с удовольствием вытаскивали на свет всех давних «героев» подобного толка: десятиклассника Сергея Гордеева из Отрадного[1], четырех подростков-скинхедов, убивших Ибрагима Парманова[2].

Соученики, соседи и знакомые Леонида дружно описывали его как нелюдимого, надменного и вечно мрачного парня. На свет божий явился и профиль Симачева в социальных сетях. В нем парень вел себя смело. Цитировал Герберта Спен-

---

[1] 3 февраля 2014 года десятиклассник Сергей Гордеев, вооруженный винтовкой и карабином, застрелил учителя географии, взял в заложники одноклассников, а потом открыл огонь по прибывшим на место преступления полицейским.

[2] В ноябре 2007 года четверо подростков-скинхедов нанесли 26-летнему узбеку Ибрагиму Парманову 25 ударов ножом. Признаны виновными в возбуждении межнациональной вражды и убийстве по национальному мотиву.

сера: «Вскармливание ни на что не годных за счет годных есть крайняя степень жестокости. Это намеренное накопление несчастий для будущих поколений. Нет большего проклятия потомкам, чем оставить им в наследство растущую популяцию имбецилов».

Я покачала головой.

Все-таки заварила себе крепкого чаю. Всыпала туда пять ложек сахара — для стимуляции мозговой деятельности. Сделала обжигающий глоток. Прочитала еще одну цитату из профиля Симачева:

«Государство должно положить конец существованию неполноценных и неэффективных его членов»[1].

Интересно, а сам-то парень видел брешь в собственной логике?

Псих, который состоит на учете, вдруг взялся бороться за чистоту нации. Уже смешно.

Я еще покопалась в дебрях компа и очень скоро набрела на родительский форум нашего Юго-Восточного округа. Название ветки звучало грозно: «УБИЙЦЫ СРЕДИ НАС». Истеричные мамаши кликушествовали, насколько это ужасно, когда за одной партой с их ути-пути благополучными детками сидят такие вот подлые Симачевы.

Я обожаю, когда среди участников дискуссии вспыхивают склоки (да и для расследования полезно). Однако в своих комментах дамы проявляли

---

[1] А. Ф. Треголд. Учебное пособие по работе с умственно отсталыми (1946 год).

удивительное единодушие. Клеймили, обличали, жгли не друг друга, но одного несчастного Леню. И лишь на третьей страничке обсуждения в общий яростный вопль вклинилась некая Ники-Облако:

— *Ничего вы не понимаете. Это про Леню Сима-чева когда-то Борис Гребенщиков пел: «Ты как вода, ты всегда принимаешь форму того, с кем ты». Кто-то задурил парню голову, а сам остался чистеньким. Мальчик, словно зомби, действовал, его запрограм-мировали, неужели вы не понимаете?*

Хор мамаш версию не принял.

С удовольствием переключился с Симачева на Ники-Облако и стал поливать грязью уже ее. Той хватило ума не оправдываться — она просто боль-ше не появлялась. А я радостно потерла ладошки.

Только бы моя неожиданная единомышленни-ца оставила хоть крошечный след.

Я открыла профиль Ники-Облако. Народ нын-че осторожничает, актуальную информацию о себе в Интернет не выкладывает. Здесь тоже: вместо фами-лии, года рождения, телефона красовались прочерки. Спасибо, хотя бы фото имелось в качестве аватарки.

Блондинка в шляпке, довольно милая, но, увы, очень похожая на Наталью Андрейченко.

Я запустила свою программу распознавания лиц и скрестила пальцы. Если сейчас обнаружится, что Ники-Облако использовала кадр из советской кино-картины «Мэри Поппинс», мне ее никогда не найти.

Планшет думал долго — я успела подпилить четыре ногтя. А когда взялась за пятый, выдал единственное совпадение.

К моей радости, женщина на найденной программой фотографии на актрису не походила совсем. Лицо с правильными чертами, но взгляд неуверенный, слегка испуганный. Плюс плохо окрашенные волосы, дешевая синтетическая блуза. А когда я увидела подпись под карточкой, то сердце затрепетало: похоже, мне выпал козырной туз.

— *Вероника Андреевна Ковалева проводит урок английского языка в лицее на Волгоградском проспекте.*

Волгоградский проспект — длиннющий, на нем могут быть десятки школ. Но я была почти уверена: на руках у меня все-таки козырь.

Пара кликов по клавишам, минут десять нервного ожидания — и да, в моих руках высшая карта из колоды. Вероника Андреевна действительно оказалась англичанкой именно из той школы, где учился Симачев!

Ох, надо к ней подобраться! Но полицейские наверняка уже запугали. Мамашки на форуме — обидели. Пошлет она меня — вот и весь сказ.

Впрочем, Синичкин учил:

— Гонят в дверь — лезь в окно. Пробирайся через подвал. Да хоть по трубе каминной спускайся!

Ладно. Придумаю я, как достать учительницу.

Но тут мне вспомнились ледяные глаза Галины Георгиевны.

Вот я и начинаю *лезть не в свое дело.*

Полицейской даме — и всей нашей *власти* в целом — несомненно, очень подходит лайт-вариант: Леня сошел с ума, убил, покончил с собой. Виноватых нет.

Еще недавно — когда сидела на должности секретарши — я бы послушно исполнила приказ поддерживать генеральную линию партии и не дергаться.

Но обретенная свобода сделала меня уверенной в своих силах и наглой.

Я быстро разыскала в своих базах данных адрес Вероники Андреевны. Проживала она (как и большинство тех, кто имел отношение к делу) неподалеку. Однако под каким предлогом мне завалиться к ней в гости?

Интернет для опытного пользователя — отличное подспорье. Я разыскала электронный адрес учительницы, прогнала его через поисковики и очень быстро стала обладателем самых разных лайфхаков. Три года назад Вероника Андреевна продавала стиральную машинку. Прошлой зимой искала мастера, чтобы повесил люстру. Также она принимает у себя дома учеников и, похоже, не платит налоги. И еще меняет свою «однушку» в пятиэтажке в десяти остановках от метро «Новогиреево» на «аналогичное жилье в доме рядом с метро».

Причем доплаты не обещает. Вряд ли есть очередь из желающих.

Я подошла к зеркалу. Порепетировала. Стервозный взгляд, противный голос. Надо говорить очень уверенно и тараторить без умолку. Плюс предварительную работу провести.

Я минут пять пошуровала в картах района. Потом набрала номер и строго спросила:

— Вероника Андреевна? Вы Косинскую улицу в качестве варианта обмена рассматриваете?

— Э... да. А какой дом?

— Ну, не двадцать шестой же! — Я попыталась цинично усмехнуться — как настоящий риелтор.

Все в нашем районе были в курсе, что упомянутое строение в плане обмена безнадежно, ибо несколько лет как огорожено полупрозрачной стеной высотой до седьмого этажа. Я не знала, насколько подобное ограждение спасает от шума, но смотреть на мир сквозь цветной пластик мне казалось очень противным.

— Дом номер двадцать восемь, второй корпус, от улицы отделен лесопосадкой, до метро три минуты пешком, — оттарабанила я.

Моя собеседница с надеждой спросила:

— А какая квартира?

— Стандартная «однушка» в «брежневке». Восьмой этаж. Кухня шесть. Зато санузел раздельный, окна во двор, балкон застеклен, паркет, посудомоечная машина, и площадь на два метра побольше вашей, — лихо завернула я.

— И большую доплату хотят? — Голос учительницы дрогнул.

— Сто тысяч.

— Долларов? — ахнула она.

— Рублей.

— Не может быть.

— Плюс расходы на переезд. Там пожилая женщина, у нее дочка в вашем доме живет.

— Я... я согласна! — выпалила Вероника Андреевна.

Хоть бы для приличия попросила сначала жилье посмотреть. Наивное создание.

— Если бы все было так просто! — строго молвила я. — Видите ли... Моя клиентка — пожилая дама, а у таких в голове всегда тараканы. Она согласна переехать в ваш дом, но не факт, что квартира ее устроит. Там целый лист требований: куда окна должны выходить, где кухня располагаться. И унитаз обязательно по фэн-шуй.

— Это как? — опешила Вероника Андреевна.

Я понятия не имела, но ответила максимально уверенно:

— Он должен находиться слева от раковины. И быть не черным, не кремовым, но ослепительно-белым.

— У меня все, как ей нужно. Так что приезжайте смотреть, — решительно предложила учительница. И сама добавила: — Хоть сегодня.

— Хорошо. Смогу у вас быть через полчаса, — милостиво согласилась я. — Если предварительно квартиру одобрю, завтра уже вместе с клиенткой придем.

Я положила трубку и тяжело вздохнула.

Мой начальник и любимый человек Павел Сергеевич учил, что частный детектив всегда может пойти на хитрости. Однако он категорически запрещал громоздить многоходовую ложь и тем более давать человеку ложную надежду.

Я взглянула на фото Синичкина (прятала в ящике стола). Виновато улыбнулась. Пробормотала:

— Пашунь, ты, конечно, подход бы гораздо лучше придумал. Но я совсем недавно была секретаршей и только учусь быть детективом. А ты сам виноват, что в Индию уехал.

И выскочила из офиса.

Вероника Андреевна встретила меня милой улыбкой и сразу повлекла на кухню — пить чай с тортом. Робкие попытки отказаться твердым учительским голосом пресекла:

— Вы наверняка весь день на ногах, а сейчас уже почти десять. Отдохните сначала, а потом я вам покажу весь мой фэн-шуй.

Я глубоко вздохнула. Сначала выпить чаю с тортом, а потом еще и обмануть — слишком даже для беспринципной меня.

— Видите ли, Вероника Андреевна, — пробормотала я.

Больше ничего говорить не пришлось — глаз учительницы оказался натренированным на врушек-школьниц. Она окинула оценивающим взором мой стыдливый румянец, повинную голову. Строго произнесла:

— Вы не риелтор.

— Нет, — прошелестела я тоном десятиклассницы, застуканной с сигареткой.

— А кто тогда? Журналистка?

— Я частный детектив.

— Кто-кто?

Насмешливым взором окинула мои брючки

в обтяжку и кофточку с треугольным вырезом. (Вечно я: сначала оденусь, как в ночной клуб, а потом подумаю!)

Я умоляюще сложила ладони:

— Вероника Андреевна! Простите меня, пожалуйста. Я поступила неэтично. Но я... я только начинаю работать и просто не смогла придумать другой способ, чтобы вы пригласили меня в дом. А мне обязательно нужно с вами поговорить, и...

Вещала и радовалась, что учительница молчит, не гонит немедленно прочь. Но вдруг ее прорвало, да как!

Затопала ногами, шарахнула кулаком в стену. Выкрикнула противным визгливым голосом:

— А ну, убирайтесь отсюда!

Я собрала все свои нервы в кулак и спокойно ответила:

— Не уйду.

— Я сказала: пошла отсюда прочь! — завопила она еще отчаяннее.

И разразилась рыданиями:

— Что за непорядочные, двуличные людишки кругом! Везде! Некуда скрыться от человеческой подлости!

Это хорошо, что она лает. Значит, укусить не должна.

— Вероника Андреевна, — я заговорила успокаивающим тоном психиатра, — разрешите мне, пожалуйста, остаться. Поверьте, я на вашей стороне. Я пришла для того, чтобы вместе с вами защитить Леню. Точнее, теперь его память. Меня тоже бесит, как легко и быстро власть нашла козла отпущения.

— Как я могу вам верить? — всхлипнула она.

— Вы — прекрасный, опытный учитель. Положитесь на свою интуицию. Клянусь, я наврала вам только про квартиру...

Вероника Андреевна начала успокаиваться. Сквозь слезы усмехнулась:

— Один раз совравши — кто тебе поверит?

И вдруг расхохоталась:

— А я-то, идиотка, уже планы строила, как от своего пятого этажа избавлюсь! И до метро пешком ходить буду. Откуда вы узнали, что я обмен ищу?

— Я и про люстру знаю, и про стиральную машинку. — Я порадовалась, что она перестала вопить.

— Как? Это было сто лет назад!

— И что учеников берете — тоже знаю.

— Но я последний раз объявление год назад давала!

— В Интернете достаточно один раз свой телефон оставить — все, след навечно. Кстати, с налоговой будьте осторожны. Они сейчас тех, кто оказывает услуги, проверяют. И штрафы с пенями вешают, если декларацию не подавали.

— Все, хватит! — оборвала она. — Если вы — частный детектив, кто вас нанял?

В этот раз я решила врать близко к тексту:

— Сразу несколько человек. Родители погибших инвалидов.

— Зачем?

— Они не верят, что школьник мог сам все замыслить и исполнить. Считают, что парня накрутили и сделали козлом отпущения. А настоящего виновника и организатора преступления власти скрывают.

Вероника Андреевна тяжело вздохнула, опустилась на табуретку.

— Допустим, они правы. Но что для них изменится? Мертвых не воскресить. Или они просто хотят еще крови?

— Они хотят справедливости, — возразила я.

— Придется вас разочаровать, — отрезала учительница. — Я понятия не имею, кто отдал Лене приказ.

Я оживилась:

— Значит, приказ все-таки был?

— Не знаю, — жалобно вздохнула она. — Но я учу Леню уже пятый год. И он никогда мне не говорил, что ненавидит аутистов или вообще инвалидов. Что их надо убивать.

— Кто-то задурил ему голову?

— Вероятно... Леня... Ленечка — он ведь тоже был особенный мальчик. Если найти к нему подход, им можно было управлять. Довольно легко. И для тех, кому он верил, парень готов был на многое. Практически на все. Возможно, так проявляла себя его душевная болезнь. Хотя со стороны он выглядел невыносимо твердолобым. Моя коллега, учительница математики, от него рыдала. Потому что парень вбил себе в голову: для арифметики есть калькулятор, а синусы, теоремы и логарифмы

в обычной жизни никому не нужны. И ничего на
него не действовало — ни уговоры, ни угрозы. За
счет природных способностей на слабую троечку
тянул, но уроки не учил никогда. Принципиально.

— А вы к нему, похоже, подход нашли, — под-
бодрила я.

— Да. Нашла, — кивнула учительница. — Мне
за это потом выговор влепили.

— Почему?

— Ну, про английский Леня тоже считал,
что никчемный предмет. А я однажды отвела его
в бар. Где одни экспаты. И все официанты — ли-
товцы или молдаване, по-русски не понимают.
Он дико смутился, пытался сбежать. Но я его не
пустила. И помогать не стала. Заставила самого
сделать заказ. И с ирландцами, которые за наш
столик подсели, общаться. Сначала он пары слов
связать не мог. Но постепенно освоился. Заговоря-
рил — с ужасными ошибками, медленно, — но
заговорил. С тех пор английский, — улыбнулась
с печальной гордостью, — у Леньки стал любимым
предметом.

— Да... — протянула я. — Вы действительно
Мэри Поппинс. Применяете нестандартные методы.

— А что остается, когда обычные уговоры не
действуют? Леню никто не любил и не понимал. —
Глаза учительницы наполнились слезами. — Родители от него хотели «пятерок», спортивных титу-
лов, побед в олимпиадах. И Леня, когда бывал на
подъеме, действительно старался: сидел в библи-

отеках, заучивал наизусть целые страницы, струил идеями. А потом наступала депрессия — и почему-то именно на эти дни чаще всего выпадали контрольные или соревнования. Он проигрывал, папа с мамой называли его ничтожеством. Грозились сдать в специнтернат. Хотя мальчик вполне тянул школьную программу.

— Вы знали про его настоящий диагноз?

— Ну... я повидала много детей с СДВГ. И догадывалась, что у Ленечки что-то более серьезное. Современная Мэри Поппинс грустно вздохнула:

— Больше всего ему нравилось работать руками. Замечательные шкатулки делал, поделки деревянные. Это у него всегда получалось, независимо от подъема или спада. Но предмета «труд» в школе нет, а папа с мамой над его хобби смеялись, называли ремесленником. Поэтому он постоянно метался, мечтал найти себе дело, в котором преуспеет, станет лучше других. Я его старания, как могла, поощряла. Уговорила ходить в кружок рисования в соседнюю школу — педагог его хвалила. Однажды Леня побывал вместе с папой на охоте, и ему очень понравилось стрелять. Однако в секцию стрельбы его не взяли. Но я нашла обычный тир, куда пускали всех желающих. И он с удовольствием проводил там время. Мне казалось... мне казалось, я делаю как лучше.

— Да все хорошо вы делали. Кроме тира, конечно, — вырвалось у меня.

Вероника Андреевна взглянула печально:

— В последние пару месяцев Леня стал от меня отдаляться. Никогда не оставался после уроков — просто поболтать, как раньше. Сразу убегал. Спортом, кажется, занялся. Каким — не говорил, но я заметила: он подтянулся, нарастил мышцы. Однажды увидела: на правой руке костяшки сбиты. Спросила, где поранил. Он ответил, что удар отрабатывал. Но не в секции — просто какое-то сообщество во дворе. Знаете, когда врубают на полную «Танцы под фонарем» и крутят сальто на турнике. Сначала я радовалась, думала, нашел наконец себе компанию, занятие по душе. Но потом заглянула в его профиль в соцсетях и пришла в ужас. Пыталась с ним поговорить, объяснить, что он берет от евгеники самое худшее. Но, — кинула в меня острый взгляд, — таланта мне все-таки не хватило.

— Вы о чем?

— Олдос Хаксли говорил: «Чем одареннее человек, тем способнее он разлагать окружающих». Я чувствовала: Леня встретил кого-то, кто *сильнее* меня. Чье влияние более мощное.

Я подобралась:

— Но вы... вы этого человека видели?

— Только однажды. Мельком. После уроков.

Я открыла сумочку, достала планшет.

— Это он?

Вероника Андреевна долго вглядывалась в фотографию Филиппа Долматова. Потом кивнула:

— Да. Похож. Очень похож. — Задумалась. Добавила: — Знаете... у Лени был такой немного странный взгляд. Собачий. Псина всегда по-разному смотрит. Иногда — улыбается. А то показывает, что разорвать готова. Но на этого человека... — женщина запнулась, — Леня смотрел с абсолютной, непреклонной преданностью. Как на безусловного вожака. И я очень, очень забеспокоилась. Хотела к школьному психологу пойти. Лениным родителям позвонить. Но, — развела руками, — не успела. Мальчик уже покончил с собственной жизнью. И жизнью остальных.

— А полиция спрашивала вас про вожака стаи?

— Я сама к ним ходила. Мне сказали: когда понадобится, обязательно пригласят на опознание. Пока не звали. — Снова всмотрелась в фотографию, спросила: — А кто этот парень?

— Пока знаю только то, что на поверхности. По профессии сомелье. Светский образ жизни. Тусовки, клубы, театры.

— И вы вместо полиции пытаетесь построить против него обвинение? — с сомнением проговорила учительница.

Оставалось лишь признаться:

— Пока я просто мечусь. За все ниточки хватаюсь.

— Моя нитка вам помогла? — грустно улыбнулась учительница.

— Очень! — с чувством ответила я.

— Тогда пойдемте пить чай, — улыбнулась. — И в качестве наказания за обман вам придется съесть торт, который я приготовила для риелтора. Весь. Я сладкое вечером не употребляю.

*** * ***

От Вероники Андреевны я вышла в половине двенадцатого. Ну и денек сегодня! Еще с утра была в Пскове, потом перелет, поездка в полицейской машине, допрос на Петровке, бдение за компьютером, работа со свидетелем... Любой бы Ниро Вульф давно налил себе пива и слопал добрую порцию домашних колбасок по-каталонски, но я, похоже, стала питаться нервной энергией. Ох, нет, простите. Забыла про торт и про чай с пятью ложками сахара, который пила в офисе. Впрочем, сладкое — как учит наука — хорошо стимулирует мозг.

Я вызвала такси, решительно пресекла поток комплиментов шофера, открыла телефонную записную книжку и принялась вносить в нее дальнейшие планы. Встретиться с Федором и забрать у него договор. Съездить в Центр реабилитации и еще раз пообщаться со словоохотливой администраторшей Ксюшей. Попробовать получить аудиенцию у недосягаемой пока начальницы Центра Антонины Валерьевны...

Таксист въехал в мой двор и резюмировал:

— Скучный ты девушка. Пятьсот рублей с тебя.

Цена несуразная, но спорить и давать водиле очередную возможность пофлиртовать я не стала. Молча сунула пятисотку и хлопнула дверью.

И дома — решительно прошла мимо мягчайшего, уютного дивана.

Снова уселась за компьютер.

Теперь меня интересовал вожак стаи. Он же — сомелье Долматов.

Всех мужчин я (вольно или невольно) измеряю по мерке Синичкина. Большинство из них хуже. Единицы — лучше. А есть — просто *другого порядка, или чокнутые.* Именно таким мне представлялся Филипп.

Ну как можно идти с дамой в Главный театр — а в антракте шипеть угрозы в адрес группы аутистов?

Отправлять на верную смерть больного на голову школьника — а потом наблюдать из-за оцепления, как с территории Центра реабилитации выносят трупы погибших? И буквально через пару часов сорваться в Псков убивать Ольгу?!

Хотя все ли из того, что я знаю, правда? Доказательств никаких, одни слова почти незнакомых мне людей. Может, и никакого инцидента в Главном театре не было, и Леню Долматов ни к чему не подстрекал, и ездил не в Прасковичи убивать Ольгу, а, допустим, к подруге, которая живет в городе Дно. Или вообще никуда не ездил.

Если честно, я с трудом представляла, как можно сочетать образ жизни светского льва и членство в экстремистской группировке.

Свои фотографии Филипп в Интернет, как я уже знала, выкладывать не любил. Но высказываться на своих страничках и форумах не стеснялся. Однако тщетно я пыталась найти в его комментах и постах хотя бы намек на евгенику, на никчемность больных и превосходство здоровых. Долматов вообще избегал скользких тем, зато с удовольствием демонстрировал свою приверженность (и приближенность) к роскоши. На алкогольном форуме со знанием дела обсуждал вкусовые качества вина Screaming Eagle 1992 года по 80 тысяч долларов за бутылку. (Где ему, интересно, такую дороговизну налили?) В сообществе автомобилистов скорбел, что замена подшипника карданного вала на 955-м «Порше Кайен» обошлась ему в шестьдесят тысяч рублей. Обалдеть! Подшипник! Это ведь железка безо всякой электроники! У Долматова, похоже, куча денег.

Зарплата сомелье? Или ему платит за *поставку и подготовку* готовых на убийства школьников кто-то третий?!

Я задала поисковику вопрос: «Леонид Симачев, Филипп Долматов» — и ни единого совпадения не получила. В паре с Ольгой Польской — тот же результат.

Да, сомелье — если он, конечно, замешан, — совсем не дурак. Следы замел классно. И на какое *дно* он залег сейчас?

* * *

Деревня Дубравка во Владимирской области уже давно могла полностью сгинуть. Молодежь подавалась в город, старики перебирались на погост, нового народу не прибывало. Дед Кирилл давно схоронил жену, самого скрючило артритом, корова пала. Но был он оптимист и надежды не терял. Вдруг газ проведут? Фермеры землю выкупят? Да хоть какие «свидетели Иеговы» приедут, осядут на поселение?

Но дождался лишь того, что несколько домов с участками — а продавались они в Дубравке за сущие копейки — скупили шустрые москвичи. Дед Кирилл со всеми перезнакомился, слушал, какие планы заезжие гости строят, и сердце радовалось. Одни собирались экологически чистый продукт выращивать, другие на постоянное место жительство перебираться. Завезли кирпичи, узбеков. В грязи копошились бетономешалки, пряно пахло строительным раствором и новой жизнью.

Однако дед Кирилл был мудр (разменял уже девятый десяток) и потому предвидел: до финиша дойдут единицы.

Так у них в Дубравке и случилось. Постепенно повальное строительство начало затихать. Одни — лишь фундаментом ограничились, другие коробки поставили — но до чистовой отделки не дошли. Только двое понаехавших довели дело до новоселья. Но постоянно в деревне жить все равно не стали. Летом покажутся — от силы на месяц, а остальное время жилища темные стоят. Ближайший к деду Кириллу сосед, правда, додумался свое поместье, с сауной, купелью, камином, в посуточную аренду сдавать. Через всемирную сеть бронирования.

Кому, казалось бы, нужно снимать особняк в глуши, без сельпо, газа и с дрянным Интернетом? Однако иногда наезжали. Братки — перетереть. Молодожены — слиться с природой. Сторонники ЗОЖ — на лыжах покататься.

Но в межсезонье особняк спросом не пользовался. И когда вдруг кромешной весенней ночью в деревне раздался рокот мотора, дед Кирилл решил, что снится ему. Перевернулся на другой бок и захрапел дальше.

Однако верный старый пес Нолик (тоже хворал, ночевал поэтому в доме) заворчал, разбудил окончательно.

— Спи, кобелина, — пробормотал старик. — Это по трассе. Молодняк гоняет.

Но мощный движок проревел совсем рядом и стих. Загремело железо ворот. Нолик похромал к двери, залаял. Поднялся и дед Кирилл. Но пока донес скрюченное тело до оконца, ворота уже снова были закрыты. Только на втором этаже соседского дома, за плотными шторами, угадывался свет.

— Кого это нелегкая принесла? — пробурчал дед Кирилл.

Погода дрянная, кислая, грунтовку развезло. Ветер завывает. Чего в такое время в деревне делать?

Выглянул наружу, прислушался. Ни женского тебе визгу, ни пьяного хохота. И утром дом стоял молча. Никто не выходил побродить по двору, покурить на крыльце. Машины тоже не видать — в гараж, должно быть, загнали.

— Может, Нолик, все нам приснилось с тобой? — спросил старик пса.

Умный зверь поднял ухо, потом мотнул головой.

— Правда было, говоришь? — крякнул дед.

Вышел со двора, опираясь на клюку, прогулялся. Ночным дождем грунтовку совсем размыло, но следы покрышек еще оставались. Кирилл в машинах не разбирался и понял только, что не «Жигули», не «уазик», не трактор. Иномарка в их глушь пожаловала. Значит, москвичи. За здоровьем. Непонятно только, почему из дому носу не кажут. Выглянули бы хоть, целебного воздуха деревенского вдохнули.

Целый день поглядывал в сторону соседа, но поместье продолжало безмолвствовать. А к вечеру — около шести — Нолик залаял. Дед Кирилл посмотрел на часы, проворчал:

— Ну, и что брешешь зря? Автобус рейсовый только что пришел. Небось Аленка в город ездила, вернулась.

Нолик потряс седой башкой.

— Да, верно, — согласился старик. — Аленка-то в больнице, забыл. Не должны еще были выписать.

Снова пошаркал к окну. Выглянул.

Какой-то парень сутулится, еле шагает навстречу рьяному ветру. Шапку на глаза надвинул, шарфом нос обмотал, но все равно съеженный. Это да, у них тут, в Дубравке, ветра знатные.

Нолик продолжал лаять. Кирилл прилепил нос к окну. Столичный гость (хоть и оделся в хаки, ботинки грубые, а *Москву* за версту видать) тыкнул пальцем в домофон. Калитка скрипнула, пропустила. А дверь в дом и вовсе не запертой оказалась — парень сам открыл, вошел. Что за странная сходка? Одни крутые, на иностранной машине, а дружок — на автобусике рейсовом причапал. Будто встретить не могли, хотя бы от Киржача. Не зря говорят: москвич москвичу волк.

Дед Кирилл хотя бы сейчас ждал громких голосов, что телок вызовут, бухать начнут, музон врубят. Но нет — молчат. Словно старики, как он сам. Скучно, когда такие соседи. На дом даже смотреть перестал — все равно ничего интересного.

А вот Нолик почему-то начал нервничать. По хате мечется, скулит. Кирилл его во двор выпустил — кобель даже дел своих не сделал, мигом к калитке, нос уставил в забор. Дед удивился. Покряхтел. Натянул ватник, болотные сапоги. Тоже вышел на вольный воздух, открыл калитку. Нолик пулей — к забору соседскому. Лает, прыгает, сердится.

— Сдурел ты, пес, что ли? — удивился Кирилл.

Загнал Нолика обратно во двор, запер калитку. Но старый друг продолжал безобразничать, на забор прыгать. Только к вечеру успокоился. А утром — по-настоящему утром, еще солнце не взошло — вдруг начал выть. Тоскливо, словно на покойника. Старик проснулся, заорал:

— Заткнись, образина!

А Нолик морду в потолок вскинул и не унимается. Дед Кирилл в него и тапкой, и палкой — все без толку. К десяти утра нервы не выдержали. Оделся. Собаку бросил в доме. Пошел к соседям. Долго жал в домофон — тишина. Хотя машина точно не выезжала, их грунтовка разбитая — лучший в мире следопыт. И человеческих следов не видать. Почему не открыть-то? Брезгают с деревенскими общаться?

Вернулся домой. Нолик посмотрел грустно и снова завыл. Дед Кирилл поморщился. Напомнило, как супруга преставилась — тогда Нолик тоже скорбной песнью заливался.

Достал записную книжку. Нашел телефон соседа — того, кто дом сдавал. Позвонил. Тот трубку мигом схватил, перепуганный:

— Чего, дед Кирилл? Пожар, что ли? Или буянят?

Старик, смущаясь, объяснил.

Ждал, что сосед — тоже московская птица — насмешничать будет. Однако тот отозвался серьезно:

— Да... Если собака воет, это не есть хорошо. Может, и правда помер? Хотя с чего? Я его видел, когда ключи отдавал. Парень молодой, спортсмен. Румяный. — И попросил искательно: — Дед Кирилл, а у вас там участковый есть?

— Ну, ты скажешь! В Киржаче только.

— Черт, я бы сам приехал, но дел вагон. А вызвать участкового никак нельзя?

— Из-за того, что собака воет? Не, не попрется.

— Тогда так, — твердо молвил сосед. — Ты мой забор одолеть сможешь?

— Ну... я не мальчик, конечно. Но если стремянку взять, перелезу.

— Ой, сделай для меня, пожалуйста, а? Посмотри, что там и как. А я на выходных приеду — отблагодарю.

— Но в дом-то мне как попасть?

— А у меня запасной ключ в тайнике. Под крыльцом. Там кирпичик второй слева фальшивый. Отодвинешь — и бери.

Дед Кирилл хотел пожеманиться. А вдруг, мол, наорут — чего в чужую собственность лезешь, или даже подстрелят? Но взглянул в умную рожу Нолика и почти уверился: некому будет стрелять.

Оделся, взял собаку и стремянку, перебрался в соседский двор. Нолика впустил через калитку. И в дом зайти первым пригласил.

Пес ни секунды не думал — пулей бросился на второй этаж. Дед Кирилл пошаркал за ним. В поместье соседском был первый раз, не забывал по сторонам поглядывать. Богато, на полах ковры, на стенах картины в золоченых рамах. Только тишина уж слишком зловещая.

Впрочем, очень скоро ее разорвал тоненький, жалобный скулеж собаки. Зов Нолика привел в спальню. Дед только взглянул — и застыл на пороге.

На широченном ложе, раскидав голые руки и ноги, с выпученными глазами валялся парень. Лицо распухло, язык выглядывает изо рта. На полу — пустая фляжка. Запах в комнате спертый, сладковатый.

Мертвяков дед Кирилл на своем веку повидал немало, потому пугаться не стал. Только вздохнул. Жаль, когда молодые умирают.

Римма

Утра у меня — как у всех. Бывает, пробуждаюсь лениво. Надо — вскакиваю по будильнику. С хорошим настроением или с плохим. Но чтобы проснуться от мигрени — такого прежде не случалось. Причем несчастная головушка не то что побаливала — раскалывалась настолько, что на месте просто улежать невозможно.

Я пулей взлетела с ложа, бросилась в ванную умываться холодной водой, мимоходом взглянула в зеркало — и впала в окончательный транс. Что за мерзкое создание на меня смотрит?! Налицо — то есть на лице — имелся полный комплект возрастных прелестей: носогубки, морщина на лбу, синяки под глазами. За вчерашний бешеный день я состарилась лет на пять.

Любой мужчина бы наплевал. Но я поняла: если не приступить срочно к реанимации, потом и уколы с гиалуронкой не помогут.

Поэтому приказала себе забыть о *деле* хотя бы на время, включила горячую воду, высыпала в ванну пачку соли с минералами и бишофитом. Нашла аромопалочки, поставила рядом. Приготовила маску-пленку с экстраувлажнением и лифтингом. Пока вода набиралась, вышла на кухню, включить чайник и выпить цитрамон.

Но тут лукавый дернул включить телевизор. И хотя время было самое «домохозяйское», я почему-то попала на криминальные новости. И не переключила их сразу. И успела услышать, как молодой человек встревоженно и истерично вещает:

— *Смерть продолжает собирать свою страшную жатву в Центре реабилитации больных аутизмом!*

Я метнула в рот обезболивающее и, не отрываясь от телеящика, вдавила кнопку кулера.

— *Американский педагог Ричард Саймон, чьих учеников расстрелял подросток, вчера утром найден мертвым в одной из столичных больниц.*

Стакан переполнился, вода потекла на пол. Таблетка расплавилась во рту и страшно горчила. Я чертыхнулась, запила наконец лекарство. Про лужу на линолеуме тут же забыла, поскользнулась, ударилась бедром о косяк. Уже падая, вцепилась в дверь — и, конечно, сломала ноготь на указательном пальце.

Худшего начала дня просто придумать нельзя.

А самое обидное — мысли от *женского,* от реанимации собственной красоты, снова перепрыгнули на злосчастное дело.

Я внимательно досмотрела криминальные новости. Молодой ведущий, несмотря на истеричность, рассказывал довольно толково.

Пару недель назад к Ричарду Саймону вдруг

явился Леня Симачев. Просто так пришел. С улицы. Показал американцу свои картины. Ричард похвалил — рисовал мальчик неплохо. И тогда Леня смущенно попросил мистера Саймона помочь ему усовершенствовать мастерство. Американец — он явился в дикую Россию сеять доброе с вечным — подростку отказать не смог. Тем более что уловил: мальчишка пусть не аутист, но с головой у него тоже не все хорошо. И стал заниматься с парнем в свободное время, бесплатно.

Бедняга экспат даже в страшном сне не мог представить, что у Лени на уме.

Иногда мальчик приходил на занятия в группу, поэтому американец всегда заранее говорил ему расписание. И в день убийства — абсолютно без задней мысли — сказал Симачеву, что планирует занятие во дворе Центра, на пленэре. Позвал поучаствовать.

Подросток и пришел. С оружием.

Несмотря на две пули, что получил Ричард от того самого Лени Симачева, полицейские на него давили. Пытались доказать сговор. Несправедливость властей ранимого иностранца глубоко задела.

А позавчера вечером, когда посещения давно были закончены, в больницу неведомым путем пробрался некто Константин Кулаев. Его сын — тоже Костя, талантливый художник и аутист — погиб от руки Симачева.

Кулаев не пытался маскироваться, не закрывал лицо, поэтому попал в поле зрения сразу нескольких больничных видеокамер.

Что конкретно случилось в палате Ричарда, неизвестно, но утром американца обнаружили мертвым. Причина смерти — перелом основания черепа и очаговая травма мозга.

А Кулаев той же ночью улетел в Стамбул. Несмотря на то что на следующий день были намечены похороны его сына.

Я услышала плеск, бросилась прочь из кухни. Ванна полнехонька, вода тонкой струйкой переливается на пол. Ароматная палочка мокрая и раскисшая. Синяки под глазами приняли совсем уж угрожающий, черный вид.

Римма, выбрось все это из головы!

Американца ты никогда даже не видела. Над делом работает целая толпа полицейских. Займись собой!

Я очистила кожу скрабом, протерла тоником. Распечатала пакетик с дорогущей французской маской. И в этот момент зазвонил телефон.

Маска, если не использовать ее сразу, безнадежно засохнет. Но вдруг это Паша звонит? Для него я на связи всегда. Живая или мертвая. Красивая или смертельно уставшая.

Однако на определителе значилось: Федор.

И не ответить ему я тоже не могла. Потому что мне было очень нужно получить второй экземпляр договора.

— Алло, — дружелюбно и уверенно отозвалась я.

— Здравствуйте, Римма. — Его голос был мрачен. — Вы сейчас заняты?

— Э-э... немного. А что?

— Мне нужно, чтобы вы срочно приехали.

Сердце ушло в пятки:

— Что-то случилось — *еще?*

— Нет. Пока нет. Но мне нужна ваша помощь. Больше просто не к кому обратиться.

Молящие нотки в голосе крутого паркуриста и всегда уверенного в себе старшего брата-надсмотрщика меня напугали.

— Хорошо, — тяжело вздохнула я. — Я смогу быть у вас через пару часов.

— О нет! У меня через полтора — тренировка. Пожалуйста, приезжайте прямо сейчас!

Истинная женщина никогда бы не пожертвовала днем красоты. Но я все-таки сотрудник детективного агентства. Поэтому спросила у Федора адрес. Выдернула затычку из ванной. Выбросила пакет с маской в мусорное ведро.

Цитрамон, по счастью, подействовал, голова прошла. Я твердой рукой замазала синяки под глазами и попыталась нарисовать хотя бы минимальную *красоту*.

Порадовалась, что строгая дама в зеркале немного (в отличие от меня обычной) походит на мисс Марпл, и выскочила из квартиры.

Федор с Яриком проживали в так называемых «небоскребах» — первых двадцатидвухэтажках, построенных в нашем районе. Дома пусть кирпичные, но считались непрестижными. Во-первых, возводили их в самом начале девяностых — в те времена почти все получалось криво и косо. А во-вторых, две трети жилья в высотках отдали под социалку, и это тоже наложило свой отпечаток на быт жителей. Никакого тебе шлагбаума или клумб во дворе. И на детской площадке уже выпивают, хотя времени только десять утра. Причем единственная мама с коляской с удовольствием принимала участие в общем веселье. На ее отпрыска (дите хныкало и яростно стучало погремушкой) внимания никто не обращал.

Домофон не работает, лифт заплеванный, весь в полосах краски — жалкая попытка ЖЭКа скрыть «наскальную» живопись.

Когда Федор — свежевыбритый, стильно подстриженный, в ладных джинсах и модной толстовке — открыл мне дверь, показалось, что встретилась с инопланетянином. Однако прошла в коридор и поняла: я тут, на земле.

Квартира выглядела прямым продолжением неуютного, неухоженного двора. Обои висели лохмами, уличная обувь валялась на полу в лужах грязи.

Парень перехватил мой взгляд, виновато улыбнулся:

— Давно пора ремонт делать, но я все никак не разбогатею.

Из кухни выглянула одутловатая, пропитая и очень сердитая на вид женщина.

— Здравствуйте, — вежливо поздоровалась я.

— Исчезни, мам, — хмуро сказал Федор.

Дама скривилась и громко захлопнула перед моим носом дверь.

Меня раздирала жалость к парню — красивому, сильному, удивительному и безнадежно завязшему в этом болоте. Милый, да скольких ты ни тренируй, как ни перерабатывай, все равно с трудом наскребешь на занятия брата в коммерческом Центре реабилитации и ему же на лекарства. Что там говорить про поездку на море, машину или ремонт!

— Пойдемте в зал, — пригласил меня Федор.

Мы вошли, я увидела ковер на стене, горку с хрусталем, этажерку с чахлыми, пыльными цветами.

Вся жизнь семьи отображалась в этой застылой картинке из прошлого. Мать (а скорее, бабушка) когда-то обставляла комнату «как положено». Но потом в семье родился больной ребенок — и стало не до квартиры. Мода менялась, люди перекладывали ковры на пол, вместо фиалок ставили на этажерки заграничные сувениры, но здесь время замерло.

Федор перехватил мой взгляд, виновато пробормотал:

— Я не очень насчет уюта. А матери по фигу.

И заорал во весь голос:

— Ярик! Иди сюда!

Я засуетилась:

— Федя, помните, мы с вами в первый день подписали договор?

Он нахмурился:

— Нужно что-то доплатить?

— Нет-нет. Я ездила в Псков за свой счет и за расходы с вас брать не буду. Но мне нужен ваш экземпляр.

— Зачем?

— Делом занимается отдел резонансных преступлений с Петровки. Это очень серьезно. А в договоре указана фамилия погибшей Ольги Польской. Я просто... подстраховываюсь.

Он на секунду задумался. Потом улыбнулся:

— Попроси вы вчера, отдал бы безвозмездно. Но сегодня — услуга за услугу.

И крикнул еще громче:

— Ярик! Сюда пошел! Быро!

По коридору немедленно зашуршали шаги.

— Никто по-хорошему не понимает, — пробормотал Федор.

Младший брат сегодня выглядел мне под стать. Тоже бледный, хмурый, под глазами синева.

— Привет, Ярослав, — улыбнулась я.

Он не ответил. Плюхнулся в угол дивана. Уставился в пол.

— Римма, у вас есть ремень? — спросил старший брат.

— Что? — опешила я.

Ярик бросил на меня быстрый взгляд и снова вперил глаза в ободранный паркет.

— Ничего. — Федор повысил голос. — Зато у меня ремней много. Так что давай лучше по-хорошему.

Я начала злиться — и, как всегда в таких случаях, немедленно скатилась на «ты»:

— Можешь объяснить, в чем дело?

— Да в том, что нервов моих больше нет! — заорал Федор. — Занятия в центре возобновили, но он, понимаешь ли, туда больше не желает ходить! Категорически! Ни за какие коврижки! И че мне делать? Мать с ним иногда сидит, но у ней типа нервы не железные, чтобы целыми днями. А на работу его больше брать не могу. Этот гад позавчера сбежал, в торговом центре кипеш устроил, меня едва не уволили. Ладно, вчера оставил дома. Так он сковородку спалил, чуть весь дом не сжег. Римма, скажи ему! Убеди! Врежь, наконец!!!

Подскочил к Ярославу, начал трясти за плечи:

— Пойми ты, придурок! Никто не будет тебя там убивать! Не будет! В Центре теперь охрана — как в Кремле!

Бедный Ярик обнял себя руками, сжался в комок, прикусил нижнюю губу — на подбородке блеснула капля крови.

По счастью, Паша учил меня не только сыскной деятельности, но и основам единоборств. Я бесшумно переместилась за спину Федора, схватила за правую длань, слегка ее вывернула.

Парень охнул. Я попросила:

— Выйди отсюда. Воды попей. И валерьянки.

Он отступил от брата. Направился к выходу из комнаты. Но на пороге остановился, предупредил:

— Не уговоришь — я ему шею сверну. Сам. Так и знай.

Дверь в зал захлопнулась.

Я где-то читала: даже у Флоренс Найтингейл случались нервные срывы. А тут — молодой парень. И на его плечах — безнадежный инвалид.

Я села рядом с Яриком на диван. Мягко спросила:

— Почему ты не хочешь ходить туда?

Он еще крепче обхватил свой худенький торс. Втянул голову в плечи. Взглянул затравленно. Пробормотал:

— Оля... Без нее не ходить.

У меня защипало в носу.

— Ярик, но в Центре ведь остались Лейла, другие учителя. Ксюша. Все тебя любят. Помогают. Ты занимаешься тем, что нравится. А Олино письмо можно слушать и представлять, что она рядом с тобой.

Он молчал.

— Стрелять там больше не будут. Тебе ничего не угрожает. Я гарантирую.

Отлепил одну руку от торса, уткнул в нее лицо. Пробормотал:

— Ричард мог. Все остальные мог. А Оля... не могла умирать. Не буду ходить туда, где она живая была.

В щелку между пальцев взглянул на меня, и такое несусветное упрямство в глазах, что очевидно: тряси его, бей, ори — все без толку.

Федор ничего не понял. Ярик не стрельбы боялся — он продолжал страдать по своей прекрасной даме. И если выбрал сидеть затворником — с места его не сдвинуть.

Что оставалось делать?

— А кто тебе сказал, что Оля мертвая? — вкрадчиво спросила я.

— Он. — Ярик с ненавистью ткнул в телевизор.

— А ты знаешь, что там всегда врут? Ну, не всегда — очень часто?

— Федор тоже сказал: Оля умерла, — всхлипнул Ярик. — И мать — что *сучка сдохла.*

— А ты не слушай его. И матери не верь. Просто жди свою Олю. Вот ты книг не читаешь, наверное, но я тебе расскажу. Бывают случаи: люди по десять, двадцать, тридцать лет верили, терпели. И любимые к ним возвращались.

Он оторвал наконец руки от лица. Взглянул на меня просветленно.

— Оля может вернуться?

— Да, — уверенно соврала я. — Если будет знать, что ты ее ждешь, она обязательно придет. И найти тебя в Центре ей будет куда легче, чем здесь. Она ведь домашнего твоего адреса не знает?

— Нет. — На меня теперь смотрел совсем маленький, доверчивый, беззащитный ребенок.

— Поэтому ходи на занятия. Жди там Олю. И не верь тем, кто говорит про ее смерть. Это просто злые люди. Они тебе завидуют.

А дальше произошло волшебство.

Синева под его глазами удивительным образом рассосалась, щеки порозовели. Ярик снова обратился в прекрасного принца. Он выглядел счастливым, юным и невыразимо прекрасным. Зато я чувствовала, что смотрюсь сейчас еще кошмарней, чем утром. Слишком много сил ушло на то, чтобы обмануть несчастного инвалида.

— Хорошо! — Младший брат вскочил. — Я сейчас буду чистить зубы и собираться в Центр.

Радостно улыбнулся мне на прощанье и поспешил прочь.

В зал вошел Федор. Хмыкнул:

— Хитры вы, дамочка. Мне бы такое в голову не пришло.

— Подслушивал?

Хмыкнул:

— Опыта набираюсь. Может, тоже в детективы пойду.

— Надо предупредить всех в Центре, чтобы никто не говорил с ним про смерть Ольги.

— Ну, ясное дело, — буркнул он.

Открыл сервант. Достал оттуда папку с договором, но мне не отдал. Присел на корточки, вынул из нижнего ящика коробку конфет, протянул все вместе:

— Вот.

Улыбнулся — на щеках заиграли волшебные ямочки, что выглядело еще роскошнее, чем у брата. И выдохнул:

— Ярик мой вроде дурак. А какого неоценимого специалиста нашел!

— Это вы о чем? — холодно поинтересовалась я.

— Конечно о вас, Римма Анатольевна.

Он галантно опустился на одно колено. Взял мою руку. Коснулся ее губами.

В глазах чертенята — издевается надо мной Федор. Но все равно было приятно.

* * *

Прямо из «небоскребов» я направилась в офис. Но по пути, у парка Кусково, сделала остановку. Раз в ванне полежать не удалось — хотя бы свежим воздухом подышу.

Ленивой походкой бездельницы я прошлась по аллее. Будний день, бегуны и собачники уже разошлись, школьники еще не появились.

За костры в парке грозили громадными штрафами, но в официальных шашлычных местах огонь разводить разрешали. Я свернула на одну из пикниковых полян. Убедилась, что вокруг никого. Вынула из сумочки оба экземпляра договора. Порвала в мелкие клочки. Бросила обрывки в шашлычницу. И для полной надежности щелкнула зажигалкой. (Пусть не курю, но в моей сумочке полно ерунды, которая *может пригодиться.*)

Бумага горела быстро, словно Ольгина жизнь. Я смотрела на пляс алых языков и вспоминала, как красиво развевались волосы балерины на ветру, когда она диктовала звуковое письмо. Поразительно. Молодая, красивая, счастливая, объясняется в любви. А через несколько часов уже мертва. Интересно, Ольгу похоронили? И какой вердикт вынесла судебно-медицинская экспертиза?

«Зачем только я наврала Ярику?! Ведь будет ее ждать, возможно, всю жизнь», — мелькнула виноватая мысль.

Меня накрыли чувства вины и одиночества.

Обычно в подобные минуты я тоскую о Пашеньке. Но сейчас подумала о нем со злостью: расслабляется на берегу Аравийского моря, а меня бросил одну, в холодной Москве, наедине со сложным делом! Но я и дело раскрыть не могу, и замену предателю Синичкину не ищу. Зачем я так обошлась с приятнейшим человеком Нурланом? Улетела в Москву и даже не позвонила! Хотя с ним точно — как за каменной стеной. Пылинки бы сдувал.

Я вспомнила горячее тело, сильные руки, жаркие поцелуи псковского полицейского — и расстроилась еще больше. Мечтай, Римма, сколько хочешь, но ведь Нурлан *тебе тоже не позвонил.*

Ладно, я не гордая. Наберу номер сама. Если не хочет (или не может) разговаривать — просто не ответит.

Нурик, однако, отозвался на первом гудке, но был крайне лапидарен:

— Привет. Перезвоню.

Пип-пип-пип.

«Да нужен ты мне», — пробормотала я.

Однако буквально через минуту на Вотсапп шлепнулось сообщение:

— *Другой номер пришли.*

Это уже интересно. Нурик, похоже, опасается, что его — и мой — официальные телефоны могут прослушивать. Зато Ватсап, насколько я знала, легко вскрывали хакеры, но щупальца рядовой прослушки до мессенджера дотягивались только в особо серьезных случаях.

Что ж. В арсенале частного детектива (даже такого, как я, — молодого и без лицензии) всегда имеется множество полезных предметов, от зажигалки до телефона с левой сим-карточкой.

Я скинула Нурлану номер и на всякий случай немедленно уничтожила нашу с ним короткую переписку.

Томно сидеть в парке и ждать звонка не стала — поспешила по аллее обратно к машине.

И вдруг стало мне очень тревожно. Я ведь честно рассказала и Нурлану, и Галине Георгиевне все, что узнала про Долматова. О том, что сомелье угрожал Ольге в Главном театре, а в день убийства притворялся случайным прохожим во втором ряду зевак.

Любой опер и следак — в лучшем случае! — сказал бы хмурое спасибо. Но мне — вроде как в качестве благодарности за откровенность — начинают выдавать оперативную информацию.

Нурлан рассказывает про таинственную «девятку», которую угнали из Дна и «засветили» в Прасковичах.

Галина Георгиевна говорит, что Долматов вечером того дня, когда в Центре реабилитации случилось убийство, направлялся на своей машине в сторону Пскова.

Будто специально подсовывают кусочки, чтобы я сама сложила пазл.

Подставляют Филиппа. Мне. Но зачем?!

Может, убийство в Центре реабилитации инвалидов не случайно?

А Долматов — никакой не сомелье, а кто-то вроде специального агента? И отправлял Леню на смерть по заданию властей?! А теперь провалился и больше не нужен?

Но зачем — чисто гипотетически — государству может быть выгоден расстрел в Центре реабилитации? Сейчас?!

Да хотя бы затем, чтобы возродить закон о принудительном лечении психически больных. Иметь возможность — как при Брежневе — гноить в богадельнях неугодных. Сейчас все больше и больше народу появляется, кто против президента, правительства и национальной политики. Присылать «воронки» и тащить в застенки власть не решается. Гораздо проще насильно отправить в дурдом. И очень похоже, что сейчас общественное мнение в данном направлении умело и дружно подогревают.

Журналисты хором возмущаются: кто позволил Лене Симачеву учиться в обычной школе? Почему его не изолировали?! На форумах — аналогичные вопли. Народ вопрошает: отчего госпитализировать даже тяжелых психических больных могут только с согласия опекунов или их собственного? Сколько можно ждать трагедий?!

И государство продумывает хитроумную комбинацию, чтобы люди как бы сами решили: даже страдающих достаточно невинным биполярным расстройством нужно держать за решеткой психиатрических клиник. Выбирают больного подростка, поручают умелому манипулятору Долматову его накрутить, отправляют на смерть...

Эко меня занесло!

Ну, в целом идея нравилась, и я продолжила фантазировать.

Допустим, Долматов начал свою операцию неплохо. Подготовил Леню, проследил за выполнением миссии, уверился, что подросток застрелился и его не выдаст. Но остается еще Ольга. Возможно, у балерины имеются какие-то серьезные улики против него. Филипп вместе с помощником мчится в Псков, убивает ее. Но ситуация снова выходит из-под контроля, потому что еще некая частная сыщица выплывает со своими изысканиями. И когда я демонстрирую Нурлану фотографию Долматова и называю его фамилию, *те, кто наверху,* решают убрать не меня (что вызовет слишком много шума), но агента, который слишком засветился. К тому же мертвые всегда молчат. Леня так и останется единственным виновником.

Бр-р...

Теория, конечно, классная, но прорех в ней полно.

Если Филипп действительно агент, зачем ему было Ольге в театре угрожать? Полная глупость и непрофессионализм.

И коли допускать, что имела место спецоперация, да на столь высоком уровне, ее бы проводил целый коллектив, а не один человек. Кто-то — подготовил и подставил Симачева. Другие — устранили балерину.

А один агент на всех фронтах — это слишком несерьезно для государственного заговора.

Хотя разве очевидно, что в Псков ездил именно Долматов?

Галина Георгиевна сказала: туда направилась *машина Долматова*.

Но сам ли он в ней был?

«Пашенька, как мне тебя не хватает! — пробормотала я. — Ты всегда видишь суть, а я — только разрозненные детали».

И самокритично подумала, что в мире, конечно, есть самодостаточные женщины. Но лично мне обязательно нужно мужское руководство.

Приступ самобичевания прервал телефонный звонок.

Секретный телефон.

Номер незнакомый.

— Алло? — осторожно произнесла я.

— Привет, — с нажимом сказал Нурлан.

— Привет.

Называть его по имени тоже не стала.

— Как дела?

— Э... да нормально. А у тебя?

Он сразу быка за рога:

— Новость. Про Филю. Его в столице искали. Родственников, друзей, коллег — всех трясли. В аэропортах, на вокзалах фотороботы. А он, оказывается, к своей машине фальшивые номера прицепил и во Владимирскую область утек. Там затаился.

Пауза.

— И что? — нетерпеливо спросила я.

— Сегодня обнаружили. Мертвый. Клофелин

подмешали в коньяк. Дедок из дома напротив показал: к нему вчера вечером приходил гость. Но фоторобот составить невозможно: сосед — глубокий старик, а пришлый — в кепке, воротник поднял. Не разглядеть.

Я нервно хихикнула.

Конспирологическая теория, что Долматова подставляют, продолжала сверкать во всех красках.

— Нурлан, — сердито произнесла я, — а зачем ты мне об этом рассказываешь?

— В смысле? — Он, кажется, растерялся.

— Специально позвонил. Выдал тайну следствия. Чего ты от меня ждешь?

— Да ничего. Просто помочь хотел. Как близкому человеку. Чтобы ты не из новостей, а раньше узнала.

— Знаешь, Нурик, — решительно отозвалась я, — во-первых, я тебе человек не близкий. А во-вторых, это дело меня больше не интересует. Так что старался ты зря.

Он простодушно спросил:

— А почему ты такая сердитая?

Я не стала скрывать:

— Да потому, что кажется: Филиппа вы мне специально подсовываете!

— Кто — мы?

— Ну ты. И в Москве одна полицейская баба.

— Никакой бабы не знаю. А лично мне зачем его подставлять?

— Тебе виднее зачем.

Он неприкрыто обиделся:

— Зря ты так. За ваших москвичей мне сказать нечего. А лично я — из лучших побуждений. Ну, раз не надо, тогда извиняй, что побеспокоил.

— Эй, Нур, подожди! — перепугалась я.

Просто глупо — на пустом месте, только из пустых подозрений, потерять нужный контакт.

Забормотала, чисто по-женски, сразу обо всем:

— Извини. Я просто погорячилась. Нервничаю. Только что неприятный разговор был. Ярик — это тот, кто в Ольгу влюблен, — чудит. Больше в Центр ходить не хочет. А дома его оставить не с кем. Брат просил на него повлиять. Но Ярик упрямый, как сто ослов. Плюс больной человек. Все соки, короче, выпил.

— Повлиять-то смогла? — Тон Нурлана смягчился.

— Да. Наврала, что Оля на самом деле жива. И скоро за ним придет.

Нурик закашлялся.

— Ты что? — удивилась я.

— Да так, ничего... Тебя ведь это дело не интересует больше.

— Нет! Очень интересует! Я уже извинилась! Пожалуйста! Ты ведь еще о чем-то хотел сказать?

— Ну... Филя вечно торчал в «Дабл страйк».

— Это что еще такое?

— Про них в Интернете есть. Сама посмотри. — Добавил насмешливо: — Девчонка ты, а не детектив. Все, привет Москве.

И бросил трубку.

Я обиженно опустилась на влажную после ночного дождя лавочку. Достала из сумки зеркальце. С дрожью в пальцах открыла. Сейчас увижу абсолютного крокодила.

Однако — к моему немалому удивлению — я пусть и не превратилась в принцессу, но морщинки разгладились, синева из-под глаз исчезла.

Неужели *работа* для красоты помогает больше, чем ванны с целебными солями?

Прав Нурлан: нечего нюни распускать.

И я помчалась в офис.

* * *

Я была почти уверена, что «Дабл страйк» — или, говоря по-русски, «Двойной удар» — очередное сообщество экстремистов. Сайты подобных организаций постоянно мигрируют, меняют названия, на форумы свои пускают только проверенных. А сейчас, когда полиция насела, могут и совсем затаиться. Однако в интернет-поисках я дока, от меня еще никто не уходил (в Сети). Почему бы не попытаться?

Офис сегодня показался совсем пустым и унылым. Весна упрямо опаздывала — казалось, что первые робкие листики, которые уже появились на деревьях, готовятся под ледяным ветром нырнуть обратно в почки. И небо серое, словно не апрель, а поздняя осень. Только Пашина улыбка на фотографии (стояла у меня на столе) и подняла немного настроение.

Я включила музыку, компьютер и кофеварку.

Синичкин, хотя сам человек более современной эпохи, любит «Битлз». Под его влиянием я тоже с удовольствием подпеваю Джону Леннону и Полу Маккартни. Впрочем, другой музыки Паша просто не держит, поэтому выбора у меня все равно нет.

В нашем офисе сохранился абсолютный раритет — кассетный магнитофон. Качество звука оставляет желать, зато всегда есть элемент интриги — *какая* песня и с *какого* момента начнется?

Я нажала на Play и услышала из Abbey Road:

Bang-bang Maxwell's silver hammer
came down upon her head,
Bang-bang Maxwell's silver hammer
made sure that she was dead[1]...

Хмыкнула: «Очень в тему».

Сплошная череда смертей.

Ольга.

Трое расстрелянных инвалидов: Галина, Артем и Костя.

Леня Симачев.

Ричард Саймон.

Теперь вот и Филипп Долматов.

---

[1] *Бум-бум! Серебряный молот Максвелла
Обрушился на ее голову.
Бум-бум! Серябряный молот Максвелла
Свидетельствует: несомненно, она мертва (англ.).*

Кто его убрал?

Раз свидетелей нет — значит, человек действовал опытный.

Интересно, что *теперь* власти будут гнать журналистам? Продолжат развивать версию про психически нездорового школьника или подбавят перчинки экстремизма?

Я поставила чашку с кофе рядом с компом. Вбила в строку адреса: «Дабл страйк».

Ожидала увидеть строгий баннер: «Заблокирован по решению суда». Однако немедленно попала на шикарно оформленный сайт — красочный, с удобной навигацией.

Только принадлежал он вовсе не экстремистам.

Слоган гласил: «Сильные. Здоровые. Смелые».

А меню пестрело исключительно мужскими, но абсолютно законными забавами: фитнес-клубы, секции культуризма, скалолазания, единоборств. Парашютный спорт. Охота. Паркур. Хорошие вина. Стриптиз-клубы.

Неудивительно, что гламурный сомелье здесь отирается. Но зачем Нурик-то мне об этом сказал? Тоном, каким говорят об *улике?*

Ладно, попробуем разобраться.

Я кликнула на иконку «паркур» — просто чтобы с чего-то начать. Открылся список — шестнадцать организаций. Адреса, телефоны, расписание, «наши инструкторы», отзывы.

Интересно, а мой заказчик Федор здесь присутствует?

Я нашла в списке единственный в нашем округе батутный центр. Открыла перечень инструкторов. В очередной раз полюбовалась точеным лицом и роскошной улыбкой Дорофеева-старшего. Прочитала о достижениях. Ничего себе: кандидат в мастера спорта по спортивной гимнастике, входил в юношескую сборную страны. Заодно ознакомилась с его гонорарами.

Один час индивидуальной работы с Федором обходился клиенту в тысячу шестьсот рублей. Половину наверняка забирал клуб. Групповые тренировки стоили дешевле. Сколько он получал в месяц? Тысяч сто максимум. А один полный день занятий в Центре реабилитации, насколько я знала, обходился в четыре. На жизнь оставалось совсем немного.

Я в очередной раз пожалела несчастных братьев и отправилась бродить по сайту дальше.

Для мужчин, которые ведут здоровый образ жизни, вкусно кушают и активно флиртуют — просто кладезь. Много полезной, хорошо организованной информации. Удобная функция: «Рядом с тобой». Я, например, с удивлением узнала, что совсем неподалеку от моего дома есть полигон для экстремального вождения, бассейн, где можно прыгать в воду с десяти метров, а также клуб для свиданий вслепую.

Но не будь в «Дабл страйк» какой-то крамолы, Нурлан бы о сайте не упомянул.

Может быть, у них там на форуме какая-то жесть?

Отправилась туда. На первый взгляд ничего подозрительного. Открытый доступ (читать можно без регистрации). Невинные темы. Спортивное питание. Как нарастить мышечную массу (про анаболики при этом ни слова).

Поиск попутчиц для совместных поездок на яхтах или в экспедиции за кладами выглядел слегка фривольно. Видео дрифтинга, что выкладывали участники, явно сделаны на парковках торговых центров, хотя гонять там запрещено. Собачьи бои в нашей стране, кажется, тоже запрещены...

Но нет, все не то, не то...

А что, интересно, находится в ветке «Продолжение рода»?

Увы, тоже лишь масса полезных и банальных советов. Здоровая еда, красное вино, средства для потенции. Забавный для мужского форума топик про ЭКО (джентльмены на полном серьезе обсуждали, не могут ли при использования этого метода им *подсунуть* чужого ребенка).

Еще одна тема называлась «Оно нам надо?»

Я сначала решила — это о том, что не надо жениться. Или что дети — только деньги и бремя. Обычная тема для мужчин. Но ветку все-таки открыла. И немедленно напряглась.

Некий пользователь под именем Оракул в самом первом посте поведал:

«У меня сосед-шизофреник женился тоже на чокнутой. Недавно ребенка родили, оказалось, даун. Оставили в роддоме. Ну не сволочи? Государство теперь их неполноценного всю жизнь содержать будет. А это, между прочим, огромные деньги. Вот на фига плодить неизлечимо больных?»

Оракулу ответили философски:

«А как запретишь?»

Он отозвался мгновенно:

«Очень просто. Давно пора ввести для таких горе-родителей химическую кастрацию. Мало, что сами наше небо коптят — пусть хотя бы потомства не оставляют».

Попробовал бы Оракул завести подобную тему на дамском сайте или там, где собираются мамочки детей-инвалидов! В клочья бы порвали: «Да кто ты такой? Как смеешь чужие судьбы решать?!»

Однако здоровые мужчины отреагировали куда спокойнее. Понасмешничали над «глубокими познаниями» автора в генетике, объяснили, что синдром Дауна — это лишняя хромосома и наследственным заболеванием шизофреников быть никак не может. Напомнили (но как-то вяло), что пост напоминает теорию арийской расы, а она давно у позорного столба. Один из участников дискуссии написал, что химическая кастрация успешно применяется, например, в Америке, штат Монтана, — но исключительно в отношении педофилов. А больной на голову — это не преступление, «хочет плодиться — пусть его».

Однако Оракул упорствовал:

«Химическую кастрацию не только педофилам делают. В Скандинавии бомжам и алкашам предлагают стерилизоваться по-хорошему. В обмен на пособия и еще какие-то опции. И вообще, я читал, что, если ввести ее повсеместно, общество очистится от генетических уродств уже через три поколения».

И опять никто не обрушился на Оракула за пропаганду евгеники. Спокойно вразумляли: нечего, мол, во всех бедах убогих винить. В тюрьмах за тяжкие преступления исключительно здоровые сидят. Один товарищ красочно описывал печальные последствия кастрации на примере собственного кота, немедленно после операции разжиревшего и потерявшего интерес к жизни.

А несколько человек Оракула практически поддержали.

Один, с ником Дохтур, проинформировал: препараты для химической кастрации — вовсе не какая-то особая редкость. Их активно используют, например, при раке простаты. Можно колоть инъекции или пить таблетки. Да, продают по рецепту, но из интернет-аптеки привезут и без него.

Еще один пользователь, Дамир, тут же развил идею:

«Раз все так просто, напои своих соседей — да и вколи им. Чтоб еще одного урода не завели».

Оракул в ответ — смайлик и палец вверх.

Но Дохтур быстро разочаровал:

«Не получится. Тот же андрокур надо давать регулярно по два раза в день. А бросишь принимать — способность к деторождению вернется».

Оракул отозвался плачущей мордочкой.

Дискуссия на этом увяла.

Я открыла профиль Оракула — и увидела фото Майкла Джексона.

Дохтур отметился мрачной фотографией тела, с головой укрытого простыней. Никаких указаний на место работы, вузы, школы и тем более не имеется имен-телефонов.

Я еще раз тщательнейшим образом обшарила сайт, но больше ничего интересного не нашла. Кроме убеждения, что на форуме обретаются здоровые, успешные, активные мужики. И жениха здесь можно поискать запросто.

Впрочем, тема химической кастрации меня зацепила. Ведь и Оля говорила, что Ярик пытался к ней приставать. А контролировать себя больные люди не могут.

Никаких поспешных действий в связи с новым знанием предпринимать не стала.

Чтобы привести в порядок мысли, решила составить подробный отчет — начиная с визита братьев в агентство. Механическая работа — описывать то, что уже сделано, — всегда меня успокаивает.

А иногда позанимаешься бумажной скукой — и что-то полезное в голову приходит.

К вечеру я привела в порядок все бумаги. И отчетливо поняла: надо обязательно еще раз съездить в Центр реабилитации.

И плевать, что Галина Георгиевна запретила туда соваться. А Федя сказал, что охрану серьезно усилили. Чем задача сложнее — тем она интереснее! Я лично знаю троих: администратора Ксюшу, преподавателя Лейлу и пациента Ярика. Хоть кто-нибудь из них мне проникнуть внутрь поможет.

На следующее утро про день красоты даже не

думала. Наскоро хлебнула кофе и отправилась на *объект*.

Как учит великий Синичкин, припарковалась за пару кварталов. Лучше слегка размять ноги, чем немедленно засветить машину пред очами охранников и видеокамер. Но что делать дальше? Вежливо улыбнуться старичку в будочке и пройти внутрь больше не получится. Сменившие пенсионера чоповцы, несомненно, потребуют паспорт. И фамилия моя — спасибо Галине Георгиевне — наверняка в черном списке. Через забор, после того что здесь случилось, тоже не перемахнешь. А окончательно мои надежды рухнули, когда рядом с входом я увидела полицейский «Форд». В нем восседали двое в полицейской форме и, несомненно, приглядывали за ситуацией.

М-да, Римма, ты как всегда: сначала приехала, а лишь потом подумала.

Но и позорно ретироваться стыдно, поэтому я начала отчаянно напрягать извилины.

Позвонить на ресепшен и попросить Ксюшу выйти? Телефоны могут прослушивать. Да и нельзя ей, наверное, уходить посреди рабочего дня.

Может, просто вечером еще раз съездить к братьям Дорофеевым домой?

Но, сама не знаю почему, не хотелось мне посвящать в довольно щепетильную тему кастрации Федора.

Я взялась обдумывать совсем глупую идею: позвонить в Индию Паше и спросить совета у него.

Но внезапно повезло. Или Ксюша — неведомым образом, через эфир, — считала мое горячее желание с ней пообщаться.

Я вдруг увидела: рыженькая минует проходную и торопливо шагает в сторону ближайшего магазина.

Паша в подобных случаях всегда возносил хвалу Иоанну-воину — покровителю сыщиков. Я тоже неуверенно пробормотала: «Спасибо, э... Иван, огромное!» — и бросилась вслед за Ксюшей в супермаркет.

Подлетела к ней сзади — в момент, когда девушка набирала в пакет бюджетные конфетки «Очумелый шмелик».

— Ксюша, привет!

Бедняга шарахнулась. Но сразу узнала. Пробормотала:

— Ф-фу, Римма, напугала.

Бросила своих «шмеликов» и сразу начала упрекать:

— Это ты Ярику про Ольгу наплела?

— Ну... — растерялась я.

А Ксюша скорбно покачала головой:

— Нехорошо. Он обычно молчит, как сыч, но вчера уже всем доложил: Оля скоро за ним приедет.

Я развела руками:

— Другого выхода не было. Он иначе не хотел в Центр ходить.

Рыженькая укоризненно произнесла:

— Я понимаю, но все равно с аутистами так нельзя. Они же особенные люди. Обычный человек подождет любимую — да забудет. А Ярик теперь всю жизнь ее будет караулить. Или еще хуже:

сбежит и искать пойдет. От него теперь чего хочешь ждать можно. Очень изменился, все преподы сразу заметили. Такой самостоятельный стал. Говорит лучше. Лейла вообще сказала: надо попробовать, чтобы он школьную программу освоил.

— Я тебе говорю: любовь лечит всех. Независимо от диагноза! — важно произнесла я. А дальше приняла просительный вид: — Ксюша, можешь мне доброе дело сделать?

Рыженькая нахмурилась:

— Опять с кем-то из наших свести? Даже не думай. Про тебя особое предупреждение: внутрь не пускать, если появишься — сообщать сразу.

— Это кто сказал?

— Антонина Валерьевна, начальница.

— А почему?

Ксюша смутилась:

— Она сказала, тут дело резонансное. А ты всего лишь частный детектив. Да еще без лицензии.

— Я в расследование вообще не лезу, — уверенно соврала я. — Мне нужно с Яриком пообщаться. Только так, чтобы Федор не знал.

— А зачем? — Рыженькая, несомненно, умирала от любопытства.

— Ну, ты опять сейчас начнешь: аутист, *иной,* не поймет. Не скажу. Секрет.

— Тогда помогать тебе не буду, — пожала плечами она.

Отлично. Шанс у меня есть.

— Понимаешь, — задумчиво произнесла я, — Федор на него, по-моему, слишком давит. Приказами сыплет, что твой прапорщик. А я хочу научить Ярика, чтобы не поддавался. Себя в обиду не давал.

Ксюша фыркнула:

— Ты с ума сошла! Как можно учить против Федьки переть? Он и прибить может.

— Глупости. Младший брат для него святое. А я изучала психологию и знаю методику, как противостоять агрессии. Могу любого научить. Даже больного аутизмом.

Пурга редкостная, Ксюша даже хмыкнула:

— Мутная ты, Римма. Ни на детектива не похожа, ни на психолога.

— Главное, что я Ярику помочь хочу.

Она заметила грустно:

— У тебя ничего не получится.

— Нельзя сдаваться, пока не попробуешь.

— Ладно, — важно кивнула Ксюша. — Давай тогда я тоже психологом буду. Посмотри мне в глаза и скажи: ты его не обидишь?

Я твердо выдержала ее взгляд:

— Никогда.

— Хорошо. Сейчас приведу.

— А у тебя неприятностей не будет?

— Ерунда. Навру что-нибудь, — отмахнулась.

* * *

Ярик бросился ко мне с просветленным лицом:

— Римма? Про Олю?!

По счастью, у меня имелось, чем его порадовать.

Я достала телефон, открыла галерею.

Фотография балерины — на берегу реки Великой, волосы развеваются, щеки горят — вогнала беднягу в состояние полного ступора. Вцепился в аппарат, ссутулился, склонился низко-низко к экрану. И смотрит, глаз не отрывает.

Я терпела. Ждала. Хотела дать ему вволю налюбоваться. Но на исходе десятой минуты не выдержала:

— Ярик!

Он взглянул, будто не узнает, и вцепился в мой телефон еще крепче.

— Я напечатаю тебе эту фотографию. И вставлю в рамку. И постараюсь, чтобы Оля тебе ее подписала, — бормотала я, ощущая себя последней и абсолютной сволочью.

— Слово? — серьезно спросил парень.

И впервые взглянул не под ноги, не в сторону, не сквозь меня — но прямо в глаза. Боже, какой он красавец!

— Слово, — отозвалась я. И твердо добавила: — Но ты должен помочь Ольге поскорее вернуться к тебе.

— Как?

«А он действительно изменился. Смотрит в лицо. Нормально общается. Почти нормально».

Я поспешно — пока Ярик в просветлении — выдала заготовку:

— Оля уехала, потому что боялась. Мне никто не говорит, что ее напугало. Может быть, ты поможешь?

Он снова потупился. Пробормотал:

— Я не знаю.

— Хорошо. Вы у себя в Центре кушаете?

Ярик ни капли не удивился, что тема внезапно сменилась. Начал подробно объяснять:

— У нас есть завтрак-второй завтрак-обед-полдник-ужин. Каша и борщ невкусные. Булки мягкие. Мясо кислое. Картошка говорящая.

— Это как?

— На ней лежит масло и шипит вот так: «Пшш!»

— А компот или сок вам дают?

— И чай еще дают, но он всегда холодный, потому что мы можем свариться.

— Обвариться?

— Да.

— А таблетки какие-нибудь вам дают?

— Да, — серьезно кивнул Ярик. — Белые круглые и желтые длинные.

— Всегда дают?

— Белые круглые на завтрак и полдник. Желтые длинные на обед.

— А дома ты их пьешь?

— Желтые длинные каждый день пью. А вместо белых мне Федя дает коричневые.

— А вот в Центре те таблетки, что белые, их из коробки достают?

— Нет. Это пластиковый стаканчик.

— А дают их всем?

Пожал равнодушно плечами:

— Мне все равно. Я не видел.

Я повысила голос:

— Ярик, милый! Пожалуйста, вспомни. Это очень важно. Для того, чтобы Оля скорее вернулась.

— Оля мне никогда не давала таблетки! — раздраженно топнул ногой он.

Эй, Римма, горе-психолог. Помни, кого ты допрашиваешь.

— А кто их давал?

— Антонина Валерьевна.

— Ваша начальница? Сама раздавала?!

— Да. Они очень важные и дорогие.

— И сейчас ты их пьешь?

— Нет. Сейчас белые не дают. Только желтые длинные.

— Тоже Антонина Валерьевна раздает?

— Нет. Ксюша.

Меня охватил азарт. Неужели версия подтверждается?! Белых и плоских таблеток в мире, конечно, миллионы, от глицина до аспирина. Но точно так выглядит и андрокур — препарат для химической кастрации.

Все, как говорил Оракул: «Нельзя давать им плодиться».

Эх, раздобыть бы эту белую таблеточку да сдать на анализ! Но Антонина Валерьевна, видно, женщина осторожная. Травить своих пациентов временно перестала. Глупо рисковать, когда Центр под колпаком, у входа полицейская машина стоит.

— Ярик, — горячо произнесла я, — а ты когда-нибудь с кем-нибудь говорил об этих белых таблетках?

— С Олей не говорил.

Боже, это имя я уже слышать не могу.

— А с Федором?

— Нет, — пожал плечами он.

— Антонина Валерьевна объясняла, для чего они?

Он нахмурил лоб:

— Витамины для мыслей. Но Лейла сказала — у меня мысли нормальные, поэтому таблетки надо выбрасывать.

— Лейла?

— Да. Лейла. — Начал раздражаться. — Лейла хочет стать для меня, как Оля. Говорит мне «милый». Но у нее никогда не получится.

— А ты ее слушался? Выбрасывал таблетки?

Покачал головой:

— У меня плохой мозг. Я слушался Антонину Валерьевну. И я все равно не мог их выбросить. Антонина Валерьевна всегда ждала, пока я проглочу.

Больше мучить бедного Ярика я не стала. Но, прежде чем вернуть его в Центр, завела в супермаркет. Там, среди ларьков обувщика, ателье и аптеки, прятался фотоцентр. Фотографию балерины мне распечатали красиво и быстро. Но загнать ее под стекло Ярослав отказался:

— Оля подписать сначала.

— Хорошо, — покорно согласилась я.

Позвонила Ксюше и, пока ждала ее, спросила Ярика:

— Что-нибудь вкусненькое? Конфеты? Мороженое?

— Нет, — вздохнул парень. — Ничего нельзя.

— Аллергия? Или горло болит?

— Слово себе дал. Пока Оле плохо, мне тоже должно плохо.

И на щеке засверкал бриллиант — слеза влюбленного подростка.

* * *

Провести утро с близкими. Только этого и хотелось в одинокий, не по-апрельски мрачный день.

Наряжаться и наносить макияж Лейла не стала. Надела под брюки теплые колготки, куртку выбрала потеплее — на холоде предстояло быть долго.

Правда, у нее сегодня рабочий день, но первое занятие только в два. Успеет, если все делать быстро. Быстро почистила зубы, нарезала бутерброды. Сахару в термос с чаем положить забыла. Ну, нечего и пытаться подсластить пустую, никчемную жизнь.

Пока ехала, плакала. Тяжело быть одной. Пустая квартира, холодная постель. А счастье ведь совсем рядом витало. Но в доме надолго не задержалось. Чуть коснулось ее крылом — и опять улетело прочь.

* * *

Всех погибших в Центре реабилитации похоронили на одном кладбище, неподалеку от кольцевой. Директриса Лейле шепнула: «Повезло вам. Специальное распоряжение было. А то бы таскались за сто километров».

Но сорок по МКАД в начале буднего дня — тоже испытание. Лейла даже плакать перестала — теперь нервничала, что на работу опоздает, бросалась из ряда в ряд, пыталась, не слишком умело, ускориться. Ей сигналили, крутили у виска, но никто, по счастью, не зацепил. Удалось добраться благополучно. Обычную черно-оранжевую машинку из каршеринга, которая следовала за ней всю дорогу, девушка не приметила.

Путь на кладбище преграждал шлагбаум. Рядом топтался сторож — нос сизый, руки подрагивают, трубы явно горят. Лейла не любила пижонить, но сегодня выхода не было. Сухо спросила:

— Сколько стоит проехать внутрь?

— Только катафалкам.

— Мне некогда. Сколько?

— Триста? — вопросительно молвил пьянчуга.

Спорить не стала — сунула три купюры.

Лихо, почти как в боевике, пронеслась по кладбищенским дорожкам. Выскочила из машины. Вот они, свежие могилы.

У двух не задержалась — быстро перекреститься, положить конфетки — цветами она не запаслась.

А дальше застряла надолго. Снова плакала. Смотрела в небо — все ей казалось, что здесь, на кладбище, душам усопших самая возможность, чтобы показаться. Дать хоть какой-то знак.

Рваное от ветра облако и правда напомнило ей лицо Темочки — любимого, навсегда ушедшего от нее брата. А потом — чего только не привидится в ветреный день — вроде показалось, что он подглядывает на нее из-за туч, улыбается — как умел, очень лукаво.

Обрадовалась. В раю, видно, Теме хорошо, там над ним никто не смеется.

Лейла замерзла вдрызг, задубевшими руками доставала термос, пыталась согреться.

На машину, которую бросила на дорожке подле могил, даже не взглядывала. И, конечно, не обратила внимания на мужчину в черной куртке и очках-хамелеонах. Не заметила, как он замедлил шаг. Пригнулся — авто Лейлы его полностью скрыло. Достал плоскогубцы, наклонился к днищу. И отправился себе дальше.

Обожгла горло чаем, почти победила внутренний холод и только потом посмотрела на время. До занятий меньше часа осталось, абсолютный кошмар!

Гнать с максимальной скоростью — опозданий Антонина Валерьевна не выносила.

Лейла нажала на газ и резко тронулась с места.

Я приехала в офис и снова, чтобы привести мысли в порядок, взялась за бумажную работу. Записала как можно подробнее разговор с учительницей Вероникой Андреевной, показания Ярика. Но печатала почти машинально — одновременно думала над новой версией, и она захватывала меня все больше и больше.

Вдруг ключ ко всем бедам находится в самом Центре реабилитации больных с аутизмом?

Просто мор и морок вокруг них!

Трое пациентов мертвы, трое ранены. Два преподавателя, Ольга и Ричард, погибли, оба при весьма странных обстоятельствах. История преступлений и многочисленные детективы свидетельствуют: когда беды неумолимой чередой валятся на конкретный дом, очень часто оказывается: внешние обстоятельства вторичны, а на самом деле червь точит здание изнутри.

Тем более я и человека нашла, который подходил на роль древоточца.

Я быстро закончила отчеты и с удовольствием переключилась на исследовательскую работу.

Нужно поподробнее разобраться в биографии начальницы Центра реабилитации Антонины Валерьевны.

Никаких доказательств у меня пока не имелось — показания больного аутизмом не в счет.

Однако в Интернете — моем верном помощнике — я быстро обнаружила интересный факт. У Антонины Валерьевны, вроде бы персоны публичной, не было аккаунта ни в одной из социальных сетей. И (по крайней мере, под своим именем) она вообще ни в каких мероприятиях глобальной паутины не участвовала. Хоть бы на каком-нибудь форуме засветилась, ролику лайк поставила — вообще ничего. Прочитать про нее можно было исключительно официоз: рабочие встречи в Департаменте здравоохранения, доклады на конференциях, совещания в префектуре.

Редко кто из современных, да еще столичных людей бывает замечен в подобном.

Я заинтересовалась, принялась копать дальше. И через пару часов обнаружила: раньше Антонина Валерьевна в соцсетях присутствовала. И даже активно постила фотографии. Но удалила все аккаунты и постаралась максимально убрать следы своего пребывания в Паутине пять лет назад.

В тот год, когда потеряла единственную дочь.

Девочке было шестнадцать, погибла она трагически и глупо: решила сделать селфи на крыше двадцатиэтажного недостроя. Поскользнулась — и упала с высоты без малого семьдесят метров.

Антонина Валерьевна на тот момент занимала серьезный пост в министерстве. Гибель дочери поставила крест на карьере: она ушла с работы, лечилась в клинике неврозов, потом еще почти год нигде не числилась. А дальше, похоже, залечила раны и решила помогать. Детям и подросткам с расстройствами аутистического спектра.

Памятуя о старых заслугах и большом административном опыте, ее сразу сделали директором Центра реабилитации. Антонина Валерьевна быстро освоилась. Начала искать благотворителей, организовала ремонт, смогла повысить сотрудникам зарплаты. Постоянно что-то придумывала. У нее работали иностранцы, преподавались самые неожиданные предметы, опробовались новаторские методы лечения. И балет силами танцовщиков-аутистов Центр реабилитации поставил — единственный в мире. Прежде прозябающее заведение стало престижным.

На первый взгляд очень все логично и объяснимо. Женщина смогла пережить личное горе и нашла себя на новой стезе.

Но вдруг, задумалась я, Антонина Валерьевна пришла сюда вовсе не для того, чтобы помогать? Вдруг она решила мстить — столь изощренным способом — за погибшую дочь?!

«Римма, ты бредишь», — пробормотала я.

Обвинить директрису на самом деле не в чем — даже если она дает пациентам андрокур. Ведь ученые до сих пор не договорились, передается ли аутизм по наследству. У Антонины Валерьевны (человека с медицинским образованием), возможно, имелся собственный взгляд. И собственный способ решения проблемы.

Раз Ярик приставал к преподавательнице, значит, и другие аутисты могли. Начальница решила обезопасить своих сотрудниц.

Да, проводить (никому об этом не говоря) химическую кастрацию, кто спорит, неэтично. Но это вовсе не означает, что Антонина Валерьевна причастна к убийствам.

И как доказать даже эту кастрацию? Ярик рассказал только о «белых плоских таблетках».

Однако Дорофеев-младший поведал еще кое-что. Лекарства ему якобы запрещала пить Лейла. А та — человек дееспособный. Значит, надо обязательно поговорить с ней.

На сей раз я не стала искать хитрых обходных путей. Телефон в Центре прослушивается? Ничего, хуже не будет. Подписка о невыезде и так есть, а смертную казнь в нашей стране отменили.

Ксюша ответила драматическим шепотом:

— Римма, ты достала!

— Прости, но мне нужно...

— Да плевать! Одни неприятности от тебя. АВэ видела, как мы с Яриком выходили! Уже весь мозг проточила!

Но я неумолимо продолжала:

— Ксюша. Свяжи меня с Лейлой. Это очень срочно.

— Пилять! — окончательно нарушила деловой этикет администратор. — Ты издеваешься?!

— Нет. Просто дай мне ее телефон. Или передай, что я хочу ее видеть.

— Да не могу я! — вдруг всхлипнула Ксюша.

— Почему?

— Лейла сегодня на работу не вышла! А номер ее не отвечает.

Я сразу насторожилась:

— Не вышла и не предупредила?

— Ну да! У нее в два открытый урок, студенты явились, а ее нету! Уже и домой ездили — тоже никого!

Нехорошее предчувствие накатило, во рту сделалось кисло.

— А с Яриком все в порядке? — невпопад спросила я.

— Ему-то что сделается! — буркнула Ксюша. И взмолилась: — Все, не звони сюда больше, не дергай меня!

Я положила трубку. Судорожно куснула ноготь.

И поняла, что ничего не понимаю.

А главное — что никогда в жизни и не пойму.

Пашка, предатель! Ну, почему ты уехал так надолго? Сколько можно меня мучить! Как я сама справлюсь?!

Схватила телефон. Сейчас позвоню и накричу. Что хватит отдыхать и медитировать в своей дурацкой Индии! Пусть срочно приезжает!

Уже открыла ватсап, увидела любимую Пашенькину фотографию на аватарке и только в этот момент осознала: *начинать-то придется — от печки!*

Синичкин, когда уезжал, просил дать ему полностью отключиться. Из-за пустяков не беспокоить. Я и не стала ему докладывать о визите братьев, о странной просьбе младшего, аутиста. Решила — справлюсь сама. Да и вообще решила: буду ему замену искать. На Федора поглядывала, с галантным псковичем Нурланом — называй уж вещи своими именами! — изменила. Плюс события катили снежным комом, я чувствовала себя в самой гуще и самонадеянно считала, что держу их под контролем.

Нет, вываливать все это на Пашу в телефонном звонке нельзя. Он с ходу ничего не поймет и только еще больше рассердится.

Я вышла в предбанник. Села за свой, с более удобной клавиатурой, компьютер и стремительно, со скоростью лучшей секретарши в мире, напечатала:

«Пашулик, дорогой мой, милый, любимый, единственный! Прости, что прерываю твою нирвану! Но без тебя я лечу в пропасть!»

Дальше все в кучу. Про подписку о невыезде. Как наврала Ярику. Что он теперь ждет давно похороненную возлюбленную. И я совсем запуталась. А еще — что без него не могу.

Перечитывать не стала — отправила немедленно.

Откинулась в кресле. Выдохнула. Достала из ящика стола зеркальце. Из него на меня взглянула некая тощая, блеклая дама, настоящая помойная кошка. Но ехать домой и снова браться за самореанимацию не было ни сил, ни желания.

Я покопалась в столе, нашла патчи, наклеила их на нижние веки и закрыла глаза. Мне тоже нужна медитация. Хотя бы на пятнадцать минут — как раз и косметическое средство подействует.

Но посидела в тишине я от силы секунд тридцать. Внезапно дверь с громким хлопком растворилась. Я вскочила с кресла.

На пороге грозно хмурилась полицейская дама Галина Георгиевна.

«О нет». — Я старалась пробормотать про себя, но она прочла — то ли по губам, то ли мысль. Усмехнулась злорадно. Молвила:

— О да.

А дальше мазнула взглядом по моему лицу и рявкнула:

— Снимай эту дрянь и иди сюда.

По-хозяйски проследовала в Пашин кабинет.

Я с трудом отлепила патчи (в начале процедуры они держатся насмерть) и поплелась за ней.

На Пашино кресло полицейская леди не посягнула — расположилась на диване. Едва я вошла, хмуро потребовала:

— Флешку давай.

— К-какую флешку?

Разыгрывать растерянность мне не пришлось.

Она взглянула жестко:

— Ты встречалась с Ярославом. Не ври, что не записывала разговор.

Я захлопала глазами:

— Н-нет. Я не записывала. Мне и в голову не пришло.

Про распечатку, что сделала позже, я просто из вредности промолчала.

— Римма, — раздраженно проговорила Галина Георгиевна, — не будь дурочкой. Я не стану привлекать тебя — *сейчас* — за пустяки вроде незаконной аудиозаписи. Но если будешь упрямиться, неприятности устрою куда круче.

— Я, правда, ничего не записывала!

Ее ноздри дернулись, клыки ощерились — настоящая львица, готовая порвать в клочья.

Я затарахторила:

— Какой в этом смысл? Он все равно недееспособный! И я ничего не расследую, я ведь вам обещала! Я просто для себя хотела узнать.

— Хорошо, — ледяным тоном прервала меня она. — Тогда излагай сама. Со всеми деталями.

И демонстративно включила диктофон.

Что-то скрыть я даже не пыталась. Бесполезно — да и зачем?

Моя версия про злодейку-директора вызвала лишь насмешливый фырк.

Но про таблетки и что Лейла их пить запрещала — Галина Георгиевна выслушала очень внимательно.

Процедила сквозь зубы:

— С чего ты взяла, что Ярославу давали именно андрокур?

— Ни с чего, — поспешно отозвалась я. — Просто версия.

— Однако кто-то тебя на нее натолкнул, — нехорошо усмехнулась полицейская дама.

— Ну... — Я испытывала стойкое ощущение, что стул подо мной раскалился. — Я случайно зашла на сайт «Дабл страйк». И там на форуме...

— Почему. Именно. На этот. Сайт? — Львица обратилась в кобру, не сводила с меня взгляда, прожигала насквозь.

Выдавать Нурлана — совсем позор, поэтому, как могла уверенно, сказала:

— Да что вы прицепились к этому «Дабл страйк»! Я помимо него кучу других прошерстила. Инвалидных, экстремистских, всяких.

— Откуда. У тебя. Возникла версия. Про таблетки? — Она продолжала плавить меня взглядом.

— У меня миллион было всяких версий! Я просто решила проверить одну из них!

Кобра наконец сдула свой капюшон. Львица передумала рвать жертву в клочья. Галина Георгиевна вздохнула — устало, по-бабьи. Спросила:

— Римма. Зачем тебе все это надо?

— Не знаю, — абсолютно искренне отозвалась я.

— Тебе кто-то платит?

— Нет. Клянусь.

— Тогда зачем?

— Ярика жалко. А еще... Я еще своему шефу хотела показать, что могу сама...

— Можешь что?

— Ну, дело раскрыть.

И тут она расхохоталась:

— Римма, в нашей следственной бригаде двадцать шесть человек! Профессионалов высочайшего класса!

Я решила воспользоваться моментом ее вдруг улучшившегося настроения:

— Я тут про убийство Долматова узнала. — И поспешно добавила: — Из «Новостей». Есть уже подозреваемые? Задержанные?

— Римма. Не борзей. — Ее тон стал почти материнским.

Тяжело поднялась с дивана. Правую ногу — ту, где распухла косточка, — подволакивала. День и у Галины Георгиевны, без сомнений, выдался непростой.

На пороге обернулась, буркнула:

— Ксении больше не звони, Лейлу не ищи.

— А куда она делась? — простодушно спросила я.

— Лейла сегодня погибла.

— Как?!

— Спешила на работу. Превысила скорость. На дороге мокро. Машину занесло. Это несчастный случай.

— Вы смеетесь?

— Разумеется, будет экспертиза, — раздраженно ответила полицейская дама. — Но у нее водительский стаж всего полтора года и уже восемнадцать штрафов за превышение скорости.

— Но этого не может быть! В смысле — именно сейчас! Пока преступник не пойман, не бывает случайностей! Ее кто-то столкнул! Или тормоза испортил!

— Римма. Повторяю в последний раз. В самый последний. Над делом работаем мы. Не суйся. Не мешай.

И с треском захлопнула дверь.

Я достала из ящика иконку (на столе не держала, почему-то стеснялась). Перекрестилась, пробормотала:

— Лейла... Пусть тебе земля будет пухом.

Что сказать еще — не знала.

Растерянность накатила, придавила.

Мертвы теперь уже трое преподавателей. Погибли трое воспитанников. Симачев. Долматов. Что происходит? И что будет дальше?!

Я не знала. Но обернулась к монитору и увидела, что ответное письмо от Паши уже подмигивает.

Радостно открыла — и отпрянула.

Текст был таков:

— *Эх, Римка. Вечно ты мне портишь жизнь.*

И вот здесь я не выдержала. Начала рыдать. И предавалась этому вреднейшему для внешности занятию до самого глубокого вечера. Даже охранник Васька, когда выходила, взглянул подозрительно, спросил:

— Ты чего, Рим, такая опухшая? Бухаешь, что ли?

— Ага, — буркнула я. — Запойно.

И натолкнул ведь, подлец, на мысль. По пути к дому я остановилась, купила бутылку вина. Алкоголь в гордом одиночестве станет самым логичным завершением этого ужасного дня.

* * *

Я проснулась поздно и с больной головой. На тумбочке возле кровати немым укором стоял грязный бокал и тарелка с засохшими шкурками мандаринов. На полу валялись пустая бутылка, штопор и роман Сандры Браун — над счастливым концом (ура-ура, любовники воссоединились) я рыдала, когда окончательно напилась.

Боже мой, Римма, насколько низко ты пала!

Я осторожно — чтобы похмелье окончательно не разорвало мозг — спустила ноги с кровати. Еще и во *вчерашних носках* уснула. Кошмар. Что будет дальше? Ночевка в канаве?!

Схватила бутылку — скорее с глаз убрать свидетельство позора, и в этот момент дверь в спальню распахнулась.

На пороге, с чашкой пряно пахнущего чая в руках, стоял Павел Синичкин.

Я ведь так и не забрала у него ключ от своей квартиры!

Я пискнула — и, словно в нору, нырнула под одеяло. Конец всему! Никогда в жизни, даже когда мы недолгое время *вели совместное хозяйство*, я не появлялась перед Пашей настолько неприбранной. А тут он острым глазом сыщика увидел все. Следы попойки. Мое помятое лицо. Наверняка даже ноготь, который я вчера сломала на указательном пальце и не успела привести в порядок. Теперь имидж прекрасной дамы разрушен навсегда.

Синичкин молча подошел, звякнул своей чашкой о прикроватную тумбочку. Сильной рукой выковырнул меня из-под одеяла.

Я ожидала укоров. Презрения. Даже скандала. А он — начал целовать.

От него пахло индийскими специями и чаем с масалой. Какой запах в ответ предлагала я — страшно было подумать. Но я не стала просить пять минут — на почистить зубы, душ и макияж. Впервые в жизни мне оказалось плевать, как я выгляжу. Счастье пьянило, дурманило, плавило мозг. Паша бросил все и приехал! Только ради меня!!!

Как только я могла нести когда-то всю эту чушь: «Мы друг другу не подходим... Давай останемся коллегами и друзьями!»

И разве можно было сравнивать Синичкина с Нурланом? С Федором? С Джудом Лоу или Джонни Деппом?[1]

Никогда, нигде и никому прежде не отдавалась я со столь сумасшедшей страстью. Вела себя как минимум три публичные женщины в одном лице. По счастью, мой любимый сыщик не стал проводить расследование, почему я так счастлива, страстна и голодна до его мужского начала.

А когда последние искры фейерверка угасли, наградил поцелуем, устало выдохнул:

— Римка! Ты потрясающая!

И я с чувством отозвалась:

---

[1] Второй и третий номера в списках самых красивых мужчин мира соответственно.

— А ты настоящий мужчина, Синичкин.

Машинально я отметила: чуть не впервые в жизни говорю сию избитую фразу полностью, от всей души, искренне.

Минуты две мы лежали рядом, словно измотанные штормом киты на берегу.

Паша, похоже, начал задремывать, но я вернула его в реальность:

— Как ты так быстро добрался?

— Твой визг души пришел очень вовремя. Я как раз успел собраться и доехать до аэропорта. Из Индии в Россию самолеты всегда на рассвете летят.

— Ну, мог бы хоть завтра...

— После такого письма?!

— Но...

— Ладно, Римк, не переживай. Накупаться я успел вдоволь, а к медитациям приобщаться пока не начинал. К пирамидону тоже. Раз ты нашла интересное дело — почему не вернуться? Кто, кстати, у нас заказчик?

Я смутилась, забормотала:

— Сначала был Федор Дорофеев, это старший брат аутиста. Но он просил только узнать, где балерина. Когда в дело влезла полиция, я очень испугалась, что договор за тебя подписала. И что деньги взяла наличкой, никак не проводила. Поехала к Феде, забрала его экземпляр договора и вместе с нашим уничтожила.

— Правильно. А на кого *мы,* — он выделил это объединяющее местоимение, — работаем сейчас?

— Ни на кого, — покраснела я. И хлюпнула носом. — Исключительно моя самодеятельность. И ругайся, сколько хочешь. Но просто... я видела Федора, их квартиру, как им жить тяжело. Ярик такой несчастный. Вот и не смогла остаться в стороне.

— Вот как. Значит, заказа у нас никакого и нет.

Вид разочарованный. Но упрекать не стал.

Я горячо продолжила:

— Пусть нет! Но вокруг Ярика столько смертей, что я за него просто боюсь!

Аргумент, безусловно, неубедительный и дамский.

«А кто тебе Ярик?» — сейчас спросит Паша. Или скажет — своим фирменным строгим тоном, — что детективное агентство никогда не должно лезть в работу полиции. Тем более, когда делом заняты спецы по резонансным преступлениям.

Однако Синичкин ухмыльнулся:

— Ладно, Римка. Раз уж ты выдернула меня из нирваны — давай, излагай свои версии. Но последовательно. Без сумбура.

— Хорошо, — с достоинством отозвалась я (отличный секс мигом снял мои приступы паники и неуверенности в себе). — Давай начнем с самой свежей. Тут, похоже, замешана Антонина Валерьевна.

— Это... начальница Центра? Ей-то зачем?

Я коротко изложила свою идею.

Паша пожал плечами и не сказал ничего.

Не впечатлило, поняла я.

Но задумчивое лицо Синичкина мне нравилось.

— Тебя нашел лично Ярик? — вдруг спросил он.

— Ну да. Он явился в офис и начал бормотать. Я понимала только: «Оля». «Искать». Хорошо, его быстро старший брат догнал — который Федор. Объяснил хоть, в чем дело.

— Он знал, куда отправился Ярик?

— Конечно, нет! Младшего одного вообще из дома не выпускают.

— Но тем не менее Федор согласился платить за поиски Оли.

— Я цену чисто символическую назвала...

— Не в этом дело. Парни, говоришь, оба с харизмой?

Я напряглась — с подвохом вопрос или нет?

Нет, вроде искренне совершенно спрашивает.

Тогда ответила:

— Они потрясающие. Старший — такой... хочет мачо казаться, а на самом деле растерянный, потерявшийся. Младший — да, аутист. Но до чего красив! И ум у него острый. Просто мыслит по-другому, иначе, чем мы все. Удивительные парни.

А Синичкин вдруг огорошил:

— Хочу на них посмотреть. Можешь устроить?

— Э... да! — радостно отозвалась я. — Давай я позвоню Федору...

— Нет, — прервал он. — Надо использовать козырь: меня ведь пока никто из них не знает. Федор в батутном центре работает? Ты там была?

— Нет.

— Почему?

— Ээ... А зачем?

— Не знаю пока. Но съездить туда обязательно надо, — решительно молвил Синичкин.

А я — с огромным облегчением — выдохнула. Наконец-то вернулся человек, кто будет принимать решения за меня!

* * *

Мы с Пашей позавтракали — до чего приятно было жарить любимому яичницу, а не резать себе одинокий сыр!

И хотя сегодня была суббота, а Синичкин почти всю ночь не спал, он сразу после завтрака произнес:

— Поехали в офис.

Я обрадовалась и удивилась.

Паша своей позиции не скрывал: бесплатно чирикают только птички.

Пятнадцать тысяч, которые заплатил мне Федор (пять авансом и десять за письмо), для детективного агентства не деньги.

Что Синичкина мотивировало сейчас — желание помочь инвалиду, интересное дело или свойственная всем частным детективам страсть утереть нос полиции, — я предпочла не спрашивать.

Охранник Василий привычно поднял перед нами шлагбаум. Я одарила его улыбкой, но он принял суровый вид. И тоном профессионального ябедника доложил Синичкину:

— К вашей помощнице тут мужики ходили. Один без пропуска под турникетом пробрался, а второй через забор перелез. А вчера вообще полиция приезжала.

Павел, к его чести, не стал вступать в разговоры с доносчиком.

Я кинула на охранника уничижительный взгляд.

Когда припарковались, пробормотала:

— Вот сволочь! И зачем я ему на Двадцать третье февраля шарфик купила?!

— Ничего не поделаешь, мужская солидарность важнее, — назидательно заметил Павел.

И по-хозяйски обнял меня за плечи.

Я прижалась к нему всем телом. Да пусть хоть каждый год ездит в Индию, если возвращается оттуда столь милым!

Перед тем как войти в офис, я проверила «маячки». Волосок и кусочек скотча оказались на месте.

— Молодец, — похвалил Синичкин.

С удовольствием проследовал в кабинет, устроился в любимом кресле и скомандовал:

— Давай кофе. И все материалы по делу.

Я не ожидала, что Пашуня вернется настолько внезапно, но, по счастью, *порядок* меня успокаивает, и все отчеты — о беседах с Лейлой, Ольгой, Нурланом, Федором, Яриком и другими — я успела распечатать и подшить в папку. Сканы эсэмэски балерины, несколько фотографий Долматова и его краткая биография тоже имелись.

Пока Синичкин пил кофе и просматривал документы, я стояла за его плечом, давала пояснения.

Паша перевернул страницу досье, сказал задумчиво:

— Давай по Долматову. Его роль в убийстве инвалидов нам пока неизвестна. Однако из Москвы он сбежал и затаился. Во Владимирской области. Но его все равно нашли и отравили. Похоже, испугались, что заговорит. Как думаешь, кто это сделал?

Я принялась излагать свою версию — про *агента,* которого решили убрать.

Паша рассеянно выслушал. Комментировать не стал.

— Ну, или кто-то из подручных Антонины Валерьевны, — еще менее уверенно произнесла я.

— Ладно, пока оставим. Выясни, пожалуйста: твой Федор сегодня работает? И где сейчас находится его брат?

«Зачем они ему?» — удивилась я.

Но бросилась исполнять поручение немедленно.

Для начала позвонила в батутный центр и противным голосом попросила записать меня на индивидуальную тренировку к инструктору Дорофееву. Мне сообщили, что у Федора на сегодня полная запись. Идти к другому мастеру паркура я решительно отказалась.

Попробуем теперь узнать, где Ярик.

В Центре реабилитации на мой звонок, по случаю субботы, отозвался автоответчик.

Тогда я позвонила братьям на квартиру. Домашний номер мне Федор не сообщал, но зря, что ли, я потратила кучу собственных денег на базы данных?

Трубку взяла мамаша — судя по злющему голосу, была она трезвая. Разговаривала грубо, но узнать удалось: ввиду того, что у нее сегодня давление сто шестьдесят на сто и оказывать услуги сиделки она не в состоянии, Ярика Федор взял с собой на работу.

Тут и Паша выглянул из кабинета. В руках — непрозрачная папка под формат одиннадцать.

— Что там у тебя?

— Да кое-что из твоих материалов. Хочу одну версию проверить. Где Дорофеевы?

— В батутном центре. Оба.

— Отлично. Покажешь их мне — и тихо исчезнешь.

— Куда?

Посмотрел изумленно:

— В супермаркет, куда еще? Холодильник пустой, чем мы обедать будем?

«Мы», «обедать» — какой музыкой звучали слова!

Дело — в которое я влезла сама и втянула Синичкина — впервые за последние дни перестало меня занимать. Всю дорогу до батутного центра я продумывала про себя, что купить и какое сегодня будет меню.

* * *

Утро субботы Антонина Валерьевна провела в хлопотах.

Новых преподавателей, да еще классом не ниже тех, что были, найти нелегко.

По счастью, в России странный народ. Рокового места, где только что прошла череда убийств, не стереглись, резюме слали охотно. Возможно, любопытство одолевало. Или условия привлекательными казались. Где еще в области дефектологии предложат зарплату вдвое больше государственной, оплату съемной квартиры плюс полный карт-бланш? Твори, выдумывай, пробуй, пиарься на своих авторских занятиях или диссертацию под них подведи.

Антонина Валерьевна бегло просматривала резюме кандидатов. Выпускников профильных вузов среди них было немного, зато энтузиастов с идеями, как помочь больным аутизмом, — через край. Травник из Брянской области, специалист по цветотерапии из Владивостока, юный мастер брейк-данса из Подмосковья...

Многие задумки выглядели вдохновляюще, но она всегда, прежде чем звать человека на собеседование, обдумывала множество факторов. Одобрят ли спонсоры? Не одолеет ли придирками Минздрав? Плюс очень важен психологический профиль кандидата. Персонажей с идеями Манилова или народ с взрывным темпераментом отсекать надо сразу — это любому ясно. Но и слишком жалостливых брать нельзя. Больной аутизмом — тот же ребенок. Мигом чувствует слабину и садится на шею.

В итоге из длиннющего списка оставила семерых. После собеседования на работу выйдет один — и то, если ей повезет. Значит, нужно искать дальше, да поскорее. Спонсорам ведь неинтересно помогать абстрактным инвалидам. Купить карандаши или памперсы — примитивно, не ярко! Совсем иное дело — поддержать балетный спектакль, который на весь мир прогремел. Или спонсировать выставку. Ох, до чего подвели ее Ольга и Ричард! Ни балета теперь в Центре, ни живописи.

Да еще Лейла сошла с дистанции.

Без бунтовщиков, конечно, стало спокойнее, но французский фонд уже намекнул: грант на будущий квартал они уменьшат. Американцы — те впрямую пригрозили: не будет новых проектов — вообще перестанут платить.

Еще и пациенты разбегаются. Полиция со своим расследованием извела. Являются, как к себе домой. Глупая, но остроглазая девица-детектив путается под ногами.

Ладно. И не такие беды переживали. Выпутаемся.

Есть ведь и плюсы. Она сама благодаря перестрелке в подвластном ей Центре стала почти знаменитостью. Постоянно просят прокомментировать, дать интервью, зовут в ток-шоу.

Антонина Валерьевна принципиально не вела примитивные, как у всех, ленты в социальных сетях, но прекрасно знала цену настоящей публичности. Очень круто, когда к тебе журналисты обращаются. Да не по одному в неделю, а буквально в очереди стоят.

Она сначала анализировала — аудиторию, влиятельность, охват. И только с самыми рейтинговыми соглашалась поговорить.

Сегодня — субботним утром — Антонина Валерьевна ждала в гости съемочную группу с одного из центральных каналов. Название программы — «Завтрак со звездой» — приятно щекотало самолюбие. Впрочем, красоваться и набивать цену лично себе Антонина Валерьевна не собиралась. Для нее главное — новых спонсоров привлечь. И новых клиентов.

Позавтракать не успела — прозвенел звонок в дверь. Вечно эти телевизионщики: то опаздывают на час, то, когда выходной и без пробок, раньше являются. Впрочем, пока грим и прическа, она еще успеет перекусить. Надо и ведущего на завтрак заманить, за вкусной едой да кофе намекнуть-протолкнуть, о чем ее обязательно спросить надо. А о чем лучше не упоминать.

Антонина Валерьевна крикнула помощнице:

— Анастасия! Канапе с эклерами подай. И кофе свари.

А сама отправилась открывать дверь.

Римма

Мама мне рассказывала, раньше по субботам люди расползались по интересам. Мужчины — в пивную или бильярдную, дамы — по магазинам, подростки — в кино. Детей вели на кружки или в парки, пенсионеры отправлялись в библиотеки. Кое-где в провинции до сих пор остался подобный уклад — ездила, видела. Но вот Москва — та окончательно помешалась на формате «все в одном».

Торгово-развлекательный центр в два часа дня субботы — несомненно, рай для его владельца. Но для всех остальных — сущий ад. Парковка забита, под ногами путаются дети, музыка орет, лифты приезжают раз в десять минут, по коридорам (вообще безумие) автобус ездит. Красный, типа английский. Малолетних клиентов развлекает.

В батутном центре, что расположен на втором нижнем уровне парковки, тоже толпа, шум и неразбериха. К стойке администратора — очередь, подростки гогочут, малыши ревут. Зато затеряться в толпе ничего не стоило. Но я на всякий случай натянула капюшон, нацепила очки. И — самая важная и приятная часть маскировки — практически повисла на Паше.

Мы миновали ресепшен, неторопливо прошли вдоль сетки, отделяющей прыжковую зону от бара. На каждом из пятидесяти батутов толкались и бесились минимум человека по три. Только Ярик прыгал на своем один.

— Вот младший, — шепнула я Паше.

Федор обнаружился в зоне для экстрима. Вокруг него сгрудились подростки. Единственная среди парней девочка с розовыми волосами канючила:

— Федюнечка, ну покажи мне тройное, а?

— Взрослых туда пускают? — шепнул мне Паша.

— Да. Но у Федора полная запись.

— Я не к нему. Сам попрыгаю. И понаблюдаю. А ты иди, иди, — подтолкнул меня под попу.

И отправился на ресепшен покупать себе билет.

А я с удовольствием покинула батутный центр, поднялась на первый этаж и вступила в толпу супермаркета.

Хорошо бы думать, что Паша меня банально приревновал к красавцу Федору. Но я прекрасна знала Синичкина и видела: у него именно *оперативный интерес*. Причем к обоим братьям.

«Может, Ярик только играет в аутиста? — мелькнула странная мысль. — И сам, в маске *убогого,* убивает?!»

Он отправил меня к Ольге — и та погибла. Он указал на Лейлу — и та мертва.

«А Леня Симачев, который подростков расстреливал, — его друг. Банда сумасшедших... Нет, Римма, что-то тебя заносит».

И я сосредоточилась на продуктах.

Набрала огромную телегу, с трудом впихнула ее в лифт, перегрузила в машину.

Снова надела очки и заглянула в батутный центр.

Застала идиллическую картину: Паша и Ярик сидели рядышком на батуте. Дорофеев-младший что-то рассказывал, яростно жестикулируя. Синичкин старательно кивал. Федор вел очередную тренировку — теперь индивидуальную, с толстым дядечкой. У того никак не получалось сальто назад, инструктор снова и снова его подхватывал, весь взмок от напряжения и в сторону брата даже не смотрел.

Зато Паша меня вычислил — будто в него датчик встроен. Показал на пальцах: две минуты.

Я вернулась в машину. Синичкин, как и обещал, пришел быстро.

— Ну, узнал что-то? — Я умирала от любопытства.

— Пока особо ничего. Но Ярик твой триста сорок три на двадцать восемь в уме перемножает, — слегка невпопад ответил Паша. — И логические задачки щелкает за доли секунды.

— Значит, он всех убил, — саркастически усмехнулась я. — А Леня Симачев — его друг. Подельники.

Синичкин промолчал, отвернулся к окну.

Мы вернулись домой. Я с удовольствием нагрузила шефа пакетами из магазина, немедленно бросилась на кухню и в изумлении услышала, как Паша кричит с порога:

— Римма, адрес у Дорофеевых какой?

— Кетчерская, сорок восемь, квартира сто восемьдесят четыре. А зачем тебе?

— Хочу одну идею проверить.

— Мне с тобой?

— Не надо. Обед пока приготовь. Я ненадолго.

Ушел — и опять оставил меня в недоумении. Зачем ему туда? Дорофеевы — в батутном центре. С их матерью хочет поговорить? О чем?

Но забивать себе голову Пашиным сыском не стала. Будешь думать о постороннем, обед получится *без души*.

Синичкин явился через полтора часа, и стол был уже накрыт. Он с удовольствием оглядел канапе с красной икрой. Отбивную на подушке из трав. Маринованные грибочки с лучком и домашним майонезиком. Запотевшую водочную бутылку. Пробормотал:

— Как мне этого не хватало!

Жевал, жаловался:

— В Индии тоже иногда готовят нормально, но всегда как под дулом: отравят или выживешь?

— Тебя травили?

— Многократно. Но я применял авторский способ дезинфекции.

— Какой?

— Каждое утро полоскал горло вискарем.

Он с наслаждением запил водку минералкой, со знанием дела произнес:

— У нас даже вода вкусней.

Я смотрела на него — и умирала от счастья. Неописуемый восторг, когда голодный взгляд любимого мужчины сначала становится сытым, потом масляным — а далее жадно устремляется на твою собственную плоть!

Я быстренько (словно бы умоталась на кухне) переоделась в короткое, расстегнула верхнюю пуговку блузы.

Синичкин потянул меня из-за стола на диван.

И ровно в этот момент — разве бывает иначе, если вместе собираются частные сыщики? — у меня зазвонил мобильник.

По официальному аппарату я бы не ответила — в конце концов, суббота, законный выходной. Но игнорировать резервный номер было нельзя.

— Римуля? — услышала я веселый голос опера из Пскова Нурлана. — Спускайся. Я у подъезда.

— Где?! — вместо вопроса вышло странное сипение.

— У подъезда. На лавочке, — терпеливо повторил он. — Ты выйдешь или мне подняться?

— Нет-нет, — в ужасе пролепетала я. — Сейчас, подожди... Пять минут.

Пыталась прикрывать телефон рукой, отодвигаться от Паши — но детектив гораздо лучше, чем обыватель, чувствует фальшь. Плюс сидим рядом, а мембрана у аппарата сильная.

Закатывать сцен Синичкин не стал. Спросил почти равнодушно:

— Твой новый?

Меня бросило в краску — в первую очередь из-за его небрежного тона. Горячо выкрикнула в ответ:

— Не нужен мне никто новый! Это опер из Пскова. Он выезжал на труп Ольги, так и познакомились. Мы... мы с ним вообще ничего. Он мне инсайт сливал, чисто по дружбе...

— А сейчас он тут зачем? — благостный тон Паши неуклонно леденел. — Новый инсайт привез? Специально из Пскова? Под твои окна?!

— Я... я не знаю. Пашенька, — сложила руки в мольбе, — давай, я его пошлю просто?!

— Эх, Римма! — Синичкин снисходительно улыбнулся. — Пора бы усвоить: *оперов*, даже из Пскова, людям нашей профессии посылать может быть просто опасно. Так что иди. Развлекайся.

— Паша, — заволновалась я, — но ты ни в коем случае не уезжай! Посмотри телевизор пока, кофе себе свари! Я только узнаю, что ему нужно, и сразу вернусь.

— Хорошо, — неожиданно легко согласился Синичкин. — Я останусь.

И уже в спину добавил:

— Почитаю Шекспира. «О, женщины, вам имя — вероломство!»

Можно подумать, сам мне в Индии не изменял. Но если сейчас начать спрашивать — мигом догадается, что мое собственное рыльце в пушку. Скорее бежать, пока Синичкин не уловил исходящие от меня волны раскаяния.

* * *

Нурлан выглядел торжественно. Благоухал лосьоном, рубашка наглаженная, в руках тюльпаны. Вот я влипла! Боже, что делать?!

— Ты зачем приехал? — с места в карьер рубанула я.

Гость безмятежно улыбнулся:

— Командировка. По указанию главка.

— А главк в каком подъезде? В моем — или в соседнем? — Я продолжала сочиться ехидством.

— Нет. Главк отправил меня на Петровку. В отдел резонансных преступлений.

Он протянул букет:

— Цветы-то возьмешь?

Я ни секунды не сомневалась: Паша сейчас наблюдает через щелочку в шторе.

Но именно в отделе резонансных преступлений служил мой злой гений Галина Георгиевна, поэтому Паша прав: ссориться с Нурланом нельзя было ни в коем случае.

Мгновенно трансформироваться из тигрицы в ми-ми-мишную кошечку сложно, но я умела.

Благодарно взяла букет. Нежно чмокнула Нурика в щеку. Пролепетала:

— Какой ты милый!

Про себя подумала: «Сволочь, и адрес узнал! Думал, небось сразу в койку его поведу».

По счастью, на наших выселках недавно открыли неплохую пиццерию с дровяной печью, и я затараторила:

— Нурланчик, вообще я очень рада тебя видеть! Пойдем, алаверды, тоже пиццей угощу! Не такая вкусная, как у тебя в Пскове, но не хуже!

Он усмехнулся:

— Два варианта. Там или мужик. Или труп.

— Э... ты о чем?

— Уж очень старательно от дома уводишь.

— Ой, Нурлан, да не труп у меня, а кагал! Родственники заявились. Тетя, две сестры двоюродные, племянница...

Гость по-хозяйски взял под руку. Проворчал:

— Болтовня и вранье. Ладно, пошли сначала в пиццерию.

Рука плавно переместилась мне на талию.

Ладонь уверенная, горячая. И парень шикарный. Глаза бархатные, подбородок квадратный, фигура накачанная — все, как мне нравится. До чего некстати Паша вернулся из своей Индии! Но теперь ничего не поделаешь. В присутствии шефа — и эталона всех мужчин — ни о каких посторонних *амурах* речи быть не может.

Вырываться из объятий Нурлана я, конечно, не стала. Но вместо любовного токования с любопытством спросила:

— Чего тебя главк-то позвал? Дела объединили, что ли?

— Да, — очаровательно улыбнулся псковский поклонник. — А лично мне просто повезло. Друган по ВШМ[1] теперь на Петровке, на этом же деле. Вот и организовал командировочку. Сегодня на адрес вместе ездили.

— Куда? — Глаза мои сами собой округлились.

А Нурлан не без гордости доложил:

— Большую птицу закрыли. Антонину Валерьевну Сидорину. Директоршу инвалидного центра.

---

[1] ВШМ — Высшая школа милиции.

Федор

Тренер в спортивной школе заставлял их стоять в планке на локтях по сорок минут. Когда девчонки начинали плакать (да и пацаны от адского напряжения всхлипывали), пренебрежительно говорил:

— Дохляки. Мао Вэйдунг[1] больше четырех часов продержался.

Или Леонардо да Винчи цитировал: «Любое препятствие преодолевается настойчивостью».

Он вообще сволочь был, этот тренер. Издевался как мог. Заставлял голыми в вертикальном шпагате стоять. Сальто с завязанными глазами делать. Скакалкой лупил. Но если кто из слабаков жаловался, приезжала комиссия, начиналась проверка — остальные спортсмены стояли горой. Твердо, как на допросе, твердили: «Не было ничего». Потому что понимали: для их пользы страдания.

---

[1] Позже сотрудник китайского спецназа Мао Вэйдунг улучшил свой рекорд, простояв в планке восемь часов и одну минуту, а потом еще несколько раз смог отжаться от пола.

Им сызмальства вбили в голову: если характер не закалить, ничего не добьешься. Не только в спорте — в жизни тоже.

Вон, Федор давно из гимнастики ушел, рекордов никто не требует. Чтобы лопухов паркуру учить, простой утренней зарядки достаточно. Но все равно — он держит, обливаясь слезами, планку. До желтых мушек и шума в ушах отрабатывает сложные элементы. Бегает кроссы со свинцом на щиколотках. Да, тяжко. Но когда умеешь терпеть, всегда своего добьешься. В любом деле.

Федор вспомнил, как начинался его канал на «Ютьюбе». Девять подписчиков, ехидные комменты: «Чего ручки дрожат? Смотри, не свались!» Снимал с простого телефона, по экрану шли блики, плясали тени.

Но он шел и шел вперед, неудачное отметал, успехи развивал. В долги залез, когда понял: со съемками на любительский телефон далеко не уедешь. Приобрел видеокамеру. Учился выставлять свет. Накладывать музыку. Курсы речи закончил — там шепелявость убрали и голос бархатным сделали. На семинары обучающие ездил — разумеется, за собственный счет. Одежду для съемок подбирал правильную — не с рынка. Причем деньги вкладывал безо всякой надежды на успех. Плюс пудовой гирей всегда Ярик на шее висел: за лекарства плати, за Центр его инвалидный — вообще разориться.

И когда канал наконец принес деньги — совсем смешные, меньше тысячи, при том что вложил почти полтинник, — Федя впервые в жизни расплакался.

Не потому, что мало. Именно тогда почувствовал: слезы, пот и работа без отдыха наконец-то дали плоды. И теперь понесется, как снежный ком.

Так и вышло: настоящая «МММ», только безо всякого риска. Двадцать косарей. Сто. Двести. Первый миллион... Причем обратился из нищего в принца за какие-то пару недель!

О своих успехах не распространялся. В батутном центре, конечно, догадывались: если у канала шестьсот тысяч подписчиков, владельцу за рекламу немало капает. Но мать — та понятия не имела. А Ярику деньги вообще до фени.

И светить доходы, вкладывать их в пошлый ремонт или поездки на море Федор решительно не собирался. Единственное, на что бы отдал все до копейки — чтобы брата в нормального пацана превратить. Но знал: подобное невозможно. Поэтому распорядиться средствами решил по-другому.

Мамаша пусть остается в их ободранной квартирешке. Будет пытаться заново жизнь построить или опять запьет — ему плевать по большому счету. А они с Яриком махнут на Бали. Брательника — в крутой реабилитационный центр. А самому — тренироваться. Плавать. Снимать новые видео для канала.

Как раз и в Москве больше ничего не держит.

После ареста Антонины Валерьевны Центр реабилитации больных аутизмом закрыли. Пациентам предложили перейти в государственные учреждения. Брали без оглядки на прописку и безо всяких очередей, но почти все отказались.

Опыт взаимодействия с бесплатной медициной был у каждого больного, и те, у кого имелись хотя бы минимальные средства, повторять его не хотели.

Ярик (как положено с его болезнью) друзей-приятелей не имел и судьбами бывших соучеников не интересовался. Федора их будущее тоже не особо занимало. Слышал краем уха, когда забирал медицинскую карту брата: кого-то будут на другой конец Москвы в коммерческие центры возить, кому-то сиделку возьмут.

— А у вас какие планы? — грустно спросила рыженькая Ксюша.

Федор только что подал документы на загранпаспорта себе и брату, но трепаться не стал. Неопределенно пожал плечами.

Упрашивать мать, чтобы посидела с Яриком, или таскать младшего с собой на работу ему не хотелось. Решил: пока документы делаются, он сам с брательником побудет. Деньги больше не нужны, а батутный центр давно в печенках сидит.

Его, правда, пытались уговорить остаться. Даже зарплату, смехотворщики, обещали прибавить. Вдвое! Трудно было не рассмеяться (канал ему сейчас приносил минимум триста тысяч в месяц), но Федор смог.

Чтобы мать не одолевала вопросами, из дома решил уехать. С Яриком, правда, не во всякое место подашься, но Федя нашел гостиничку при агроферме на границе Московской области. Обещали воздух, тишину, домашний творог.

— У меня брат — аутист, — предупредил Доро-феев-старший.

Но милая администратор лишь рассмеялась:

— Да у нас в коровниках уборщики все такие. Приезжайте.

Федор обещал прибыть через три дня, когда закончит дела в Москве. Надо было выяснить, как получить социальную (то есть на целых шесть месяцев) балийскую визу, собрать летнюю одежду, *настроить* Ярика.

Тот, когда узнал, что они уезжают, заволновался, насупил брови, заявил:

— Никуда не поеду. Олю тут буду ждать.

— Дурак, — ласково улыбнулся Федор. — Она ведь девчонка. А девчонки все любят виллы с видом на море.

— Но как она найдет меня?

— Римма ей сообщит.

Сказал — и забыл. Без глупой Яриковой любви хлопот полон рот.

Римма

Обвинение Антонине Валерьевне пока даже не предъявили, зато СМИ с Интернетом куражились от души: *«Жестокие опыты над больными людьми! Наследница Йозефа Менгеле![1] Она убирала со своего пути всех, кто пытался ей помешать!»*

Сотрудники Центра реабилитации хранили молчание (Галина Георгиевна со своими подручными, несомненно, приложили все силы, чтобы их запугать). Но заткнуть рты родственникам почти двух сотен пациентов оказалось невозможно.

Пятеро из них образовали инициативную группу и выступили в ток-шоу с абсолютно дикой историей. Химическая кастрация, оказывается, была лишь вершиной айсберга. Антонина Валерьевна якобы утверждала: ей известен метод *полного излечения* аутизма. Предупреждала: он пока не запатентован. Но некоторые были готовы рискнуть.

---

[1] Й о з е ф М е н г е л е — немецкий врач по прозвищу «Ангел смерти». Проводил опыты на узниках концлагеря Освенцим во время Второй мировой войны, в том числе кастрировал мальчиков и мужчин без применения анестетиков.

Для начала пациентам давали так называемую MMS[1] — волшебную минеральную добавку, чрезвычайно едкое химическое вещество, разрушающее слизистую желудка. По сути, оно представляло собой отбеливатель, однако на одной из конференций по аутизму уверяли: минеральная добавка полностью излечила тридцать восемь больных. Антонине Валерьевне метод понравился, и она взяла его в свой арсенал.

Но ни одному из ее пациентов добавка не помогла, и тогда директриса взялась за так называемое хелирование. Этот способ должен был выводить из крови пациентов «избыток металлов». Он идеален при отравлении, например ртутью, но — как дружно утверждала официальная медицина — никак не помогает при аутизме. Зато вред наносит огромный, потому что лишает организм всех жизнеобеспечивающих ионов.

Но Антонина Валерьевна умела быть убедительной. И когда хелирование тоже не срабатывало, уговаривала родственников не сдаваться, а идти дальше.

Объясняла: предыдущее лечение не помогло, потому что у пациента избыток тестостерона. И ему необходима химическая кастрация. Она снизит уровень половых гормонов, и дело сразу пойдет на поправку.

— После волшебной капсулы мой сын заработал язву желудка, хелирование вымыло из его

---

[1] Miracle Mineral Solution.

организма весь кальций, и он получил четыре переломы за месяц, — плакала в студии измотанная женщина.

— Но вы по-прежнему верили Антонине Валерьевне? — демоническим тоном вопрошал ведущий.

— Да, — опускала голову несчастная мать. — Она говорила: болезнь тяжелая. Исцеление произойдет не сразу. Надо терпеть.

Я перепугалась: неужели бедному Ярику тоже пришлось пройти через эти ужасы?

Хотя Паша и приказал мне сидеть тихо, никакой активности не проявлять, я не выдержала. Позвонила Федору. Задала вопрос.

Тот хмыкнул:

— Я че, дурак? В Интернет выходить не умею? Антонина Валерьевна мне всю эту муть предлагала — я ее послал. Прочитал, что фуфло. Зачем родного брата травить?

Говорить, что Ярику *все равно* давали таблетки, подавляющие половое влечение, я не стала. Чего Федора зря пугать? Сейчас младший их все равно не пьет, а действие лекарства обратимо, организм постепенно восстановится.

Я страшно себя ругала, что так и не пообщалась с Антониной Валерьевной. А ведь хотела, еще тогда, когда только в Псков собиралась! Никогда не поймешь человека, пока в глаза ему не посмотришь. Но теперь уже поздно. И оставалось лишь гадать: заблуждалась ли директриса? Или намеренно творила зло?

Ольга, Ричард, Лейла наверняка знали (или догадывались) о варварских методах начальницы. И раз Антонину Валерьевну задержали, скорее всего именно ее обвинят в их смертях. Но кто-то директрисе, несомненно, помогал. Не могла она сама все успеть. Съездить в Псков убить Ольгу. Прокрасться в больницу и прикончить Ричарда. Испортить тормоза в машине Лейлы.

Пусть полиция молчала, Интернет уверенно утверждал: в авто преподавательницы кто-то перерезал тормозные шланги, поэтому она и попала в аварию.

Жаль, обсудить гипотезы-версии было не с кем.

Паша на меня, разумеется, разозлился.

Когда я вернулась после встречи с Нурланом, в своей квартире Синичкина я уже не застала.

Мучилась до вечера. В десять не выдержала — позвонила. Телефон не ответил. А в воскресенье — и вовсе сразу перебросил меня на автоответчик.

Увиделись только в понедельник, на работе. Шеф приехал к одиннадцати, сухо мне кивнул. Потребовал:

— Телефон этого своего Нурека давай.

— Нурлана? — Я перепугалась. — Зачем?!

— Не волнуйся, — хмыкнул снисходительно. — Бить не буду. Мне по делу.

Я повиновалась.

Паша сразу прошел в кабинет, плотно прикрыл дверь. Через час с решительным видом направился к выходу.

Я с надеждой спросила:

— Мне что-то сделать?

— Ногти подпили, — сурово распорядился Синичкин.

И покинул офис.

Я с отвращением швырнула пилкой в закрывшуюся дверь.

Сидела в предбаннике, серфила в Интернете. Подражала героям детективных романов — чертила таблицы со схемами. Отчаянно ломала голову. Но концы с концами у меня никак не сходились. В любой из моих версий обязательно торчали огромные уши...

Часа в три позвонил охранник Василий, буркнул:

— К тебе дебил просится. Но он без паспорта.

— Сам ты дебил! — возмутилась я.

Впрочем, немедленно отыграла назад, залепетала:

— Васенька, прости! Пожалуйста, пусть подождет меня на проходной! Я сейчас прибегу!

Ярик, с прямой спиной и опущенной головой, сидел на бетонном основании забора у входа в наш НИИ.

— Привет! — ласково произнесла я.

Печальные, невыразимо прекрасные глаза ослепили брызгами летнего дождя — и снова уставились в землю.

— Увозит, — пробормотал Ярик.

— Кто? Кого? Куда? — растерялась я.

— Увозит, — с раздражением повторил он.

Римма. Спокойнее. Медленно и четко.

— Тебя увозит?

— Тебя. — Но ткнул пальцем в собственную грудь.

— Федор?

— Федор.

— Куда?

— Вилла на море, — тщательно выговорил Ярик.

— Где?

— На море. Тепло, можно купаться. Пляж и песок. Девочки любят. Оля. Приехать. Туда.

— А что за море?

— Мне надо Оля. Ждать ее там!

Я вздохнула:

— Конечно, Ярик. Обязательно ей скажу. Когда вы едете?

— Сначала деревня. Потом пляж и песок.

— Что за деревня?

— Коровы. Молоко. Творог. Не знаю. Сегодня. Завтра.

Больше ничего дельного добиться не удалось. А когда Ярик ушел, мне словно кто-то в ухо шепнул:

— Сообщи Паше!

Я немедленно набрала номер:

— Федор с Яриком уезжают.

— Куда?

— Сначала в какую-то деревню. А потом вроде бы за границу.

— Хотя бы примерно — в какие края?

— Он сказал: «Тепло, купаться. Море, пляж и песок».

— Черт. А когда?

— Я так поняла, очень скоро.

— Где сейчас Федор?

— Понятия не имею.

— Срочно узнай.

Ура. Хоть какое-то дело.

Справилась быстро — через пятнадцать минут докладывала:

— Из батутного центра он вчера уволился. Где находится сейчас — неизвестно. Ярик дома с матерью. А Федор обещал быть к шести.

— Адрес знаешь?

— Конечно.

— Гони прямо туда. Я тоже еду.

И по его тону я поняла: у Паши *версия имеется*.

* * *

Будь Федор дома, он бы просто ее не пустил. Хотя, когда Ярик впервые привел его к этой Римме, она ему показалась милашкой-вкусняшкой. Даже подумывал, не приударить ли. Но быстро эту идею отмел. Его канал на «Ютьюбе» стремительно набирал обороты, и падкие на успешных мужчин красотки слетались стаями. Глупо кого-то завоевывать, тем более частного детектива, когда и так поклонниц полно.

Но Ярик Римму чуть ли ни мамочкой своей считал (родная-то, хотя пить и бросила, все равно никуда не годилась).

Вот и сегодня, пусть гостья незваная, дверь отпер, сидит рядышком, рожа довольная. И плевать ему, что детективщица почему-то не одна пришла, а с мужиком. Тот сразу навстречу, руку тянет:

— Я Павел, начальник Риммы. Рад познакомиться.

А какого, интересно, хрена ты сюда приперся?

Федор этого пня сразу узнал — тот в батутный центр позавчера приходил. С Яриком перетирал.

Старший брат потом попытался выяснить, о чем говорили. Ярик доложил: *дядечка* изучает, по какой траектории мягкие мячи летают. А он ему помогал. Швырялись вместе. Федя тогда подумал: мужик просто прикалывался. А это, оказывается, следствие велось. Плохо. Ярик — в силу своей болезни — мог ему сболтнуть, чего не надо. Врать совсем не умеет. Да и не станет. Не понимает просто зачем.

Но держать лицо Дорофеев-старший умел. Молча протянул руку, указал на диван, буркнул:

— Чаю не предлагаю. Времени мало.

И выразительно посмотрел на часы.

Пень садиться не стал. Стоит рядышком, сверлит взглядом:

— Хочу про вашего друга поговорить. Про Филиппа Долматова.

Чего и следовало ожидать. Все-таки вылезло.

Отпираться глупо.

— Какой он мне друг? Просто на тренировки приходил. Раза два.

У Риммы вид удивленный. Явно тоже впервые

услышала. Да, облажалась ты, детективщица. Хотя он все время боялся. С Долматовым его кто угодно мог видеть. И не только в батутном центре.

А Павел продолжает спокойно:

— Ну, Долматов к вам не только на тренировки ходил. Вы еще вместе в ресторанах бывали. По девочкам ездили.

Зараза, откуда узнал?!

Без разницы теперь. Главное — отбиться.

— И чего? — Федор пожал плечами. — Ходили. В чем криминал?

— Вы про его убеждения знали?

— Долгое время нет, — поспешно отозвался Федор. — А когда узнал, не одобрил. Один раз даже в глаз дал. За Ярика.

— А чем Филиппу не нравился ваш брат?

Федор поморщился:

— Ну, Фил вообще инвалидов не любил. Слабых, стариков. Спартой восхищался. Гитлера уважал.

Синичкин придвинулся еще ближе. Спросил вкрадчиво:

— А с Леонидом Симачевым вы знакомы?

Опасно. Очень.

Федор взвился:

— Вы спятили?! Нет, конечно! Это все Филькины дела! Он меня в них не посвящал! А я Симачева первый раз по телевизору увидел! Уже мертвым!

Ярик смотрит испуганно, Риммочка от удивления ротик открыла.

— Нет, Федя, — покачал головой мужик. — Ты

знал Леню. И на *дело* вы его отправляли вдвоем. Долматов. И ты.

— Да за кого вы меня держите?! — еще больше повысил тон Дорофеев-старший. — У меня Ярька такой же инвалид! Я за брата любого в клочья порву! И ему подобным ничего плохого не сделаю.

Младший благодарно улыбнулся. Римма, зараза, посмотрела с сомнением. А Павел спокойно продолжил:

— Насчет Ярослава не спорю. В день расстрела вы его дома оставили.

Федор сменил тон на усталый:

— Перестаньте. Я ничего не знал. Если хотя бы догадывался, чего Фил задумал, сдал бы его без сомнений.

— Ты *знал*, что он задумал! — повысил голос детектив. — А когда понял, что Долматов готов тебя сдать, — его убрал.

— Да что за бред?!

Федор — впервые в жизни — почувствовал: стены покачнулись, пол стал неровным, будто на корабле во время шторма.

А Павел — с некоторым даже сочувствием — произнес:

— Тебя обложили, Федя. Обложили со всех сторон. Сейчас по всей стране видеокамеры. Кепки, темные очки и прочая конспирация не помогают. Да, требуется время, чтобы свести все данные воедино. Но это уже сделали. Картина ясна. За тобой очень скоро придут. Я... мы с Риммой просто немного опередили полицию.

* * *

Лейла — красный мак. Дурман-трава. Страшный цветок непентес — попадешь в его лоно, и схватит, задушит.

Федор впервые увидел ее три года назад. Второго января. Все педагоги продолжали отмечать Новый год, одна Ксюшка дежурила, а ему кровь из носу надо было на работу. Позвонил в Центр безо всякой надежды. Но администратор радостно прочирикала:

— Представляете, Федор, вам удивительно повезло! У нас с этого года новый преподаватель по цветотерапии. Хотя в Центре пока каникулы, она вышла осмотреться уже сегодня. Я могу спросить — вдруг примет Ярика?

Новая сотрудница согласилась. Федор лично натянул на брата штаны с рубашкой, ботинки с курткой — чтобы побыстрее — и помчался в Центр.

Слово «педагог» он не любил со школы. Вечно ему попадались старые, злющие, некрасивые учителя. Здесь, в Центре, хоть и получше, но тоже: вечно сыплют умными словечками, понтуются, мозг плавят. Ему постоянно внушали, что родственники пациентов обязательно должны в образовательном процессе активное участие принимать. Будто у него время есть с Яриком развивалками заниматься!

А тут навстречу вышла девчонка. Веснушки, тоненькая, как весенний цветок. Глаза огромные, зеленые с крапинками. И на вид — лет шестнадцать. Почти как ему.

Федя сроду педагогов не строил, а тут возьми вдруг и ляпни:

— У тебя диплом-то хоть есть?

Она лучисто улыбнулась:

— Нету. Один аттестат. Я только со школы!

«Вроде нельзя так говорить. Правильно — *после школы*», — с нежностью подумал он.

А дальше совсем в голове помутилось. Налетел — и поцеловал. И она даже не думала вырываться. Растаяла в его объятиях. Хорошо, что Ксюха не подсматривала — оставалась на ресепшене, с кем-то кокетничала по скайпу.

— Ты судьба моя, — прошептал Федор.

Первое в жизни красивое слово — обычно он держал девиц в узде и выбирал симпотных, но строго самых нетребовательных.

А сейчас — полное помрачение. Даже про Ярика забыл.

Обычно брат только рад, когда его не трогают, но сейчас заинтересовался, глаза круглые, вылупился, рот разинул.

Федор слегка смутился:

— Это... ну... брат мой. Пациент.

— Привет. — Тростиночка смело подошла к Ярославу, встала совсем близко.

Обычно тот от незнакомых людей отпрыгивал, но сейчас дал пожать себе руку, а потом нагнулся к ее шее и понюхал. Сосредоточенно, словно пес.

По-научному называется — сенсорное нарушение. Сколько раз, когда Ярик творил такое на улице, приходилось униженно извиняться, а то и в драках участвовать.

Но девица — аленький цветочек — только подставила шею, чтобы брату было еще удобнее. Улыбнулась, когда Ярик пробормотал:

— Вкусно.

И объяснила Федору:

— У меня у самой братик такой. Темочка. С детства на мне. Родителей нету.

— Получается, мы из одного инкубатора, — улыбнулся он. И, сам не понимая, что говорит, выпалил: — Пойдем в кино сегодня?

Хотя какое им кино, если у обоих инвалиды на руках?

Но юная богиня не думала ни секунды:

— Зачем идти куда-то? Давай тут посмотрим. Все равно никого нет сегодня. Приходи, когда сможешь, и диск приноси интересный. А детей я займу. Они нам мешать не будут.

С тех пор и понеслось.

Они не строили планов — просто очень любили друг друга.

Федор, правда, иногда задумывался: что дальше? Но перспективы не видел. У него хотя бы квартира имелась. А Лейла с братом детдомовские, комнату снимают (социальное жилье где-то в дальнем Подмосковье непрактичная тростиночка за гроши продала, деньги потратила).

Да и взгляды на семью у них оказались разные. Лейла готовилась жизнь положить, чтобы *вытянуть* брата. Дать ему образование, профессию, включить в обычную жизнь. Мечтала в Америку уехать — в России у аутиста перспектив никаких, Федор и сам понимал.

Он на братальника (как мать сделала) тоже бы никогда не забил. Но до самой смерти существовать вместе на одной территории не собирался. И без того сколько лет жизни не видит, с ним возится. Мечтал заработать много-много денег, пристроить младшего в хороший дом инвалидов и ездить навещать по воскресеньям.

Ну, и всякие другие разногласия присутствовали. Лейла вечно с учебниками, недосыпает, громадье планов: поступить на заочное в институт, разработать и сертифицировать собственный курс, освоить английский язык. Над Фединой надеждой купить счастливый лотерейный билет и одним махом разбогатеть откровенно посмеивалась. Он обижался. Но стоило ей даже не поцеловать — просто приблизиться, забывал обо всем. Видел одни лишь глазищи с крапинками да алые губы. Крышу срывало мгновенно: сжать в объятиях, поглотить ее всю.

Отношения свои скрывали — у Лейлы в контракте имелся строгий запрет на внеслужебные контакты с пациентами или их родственниками. В Центре — всегда на «вы», зато до чего сладко было дорываться наконец друг до друга! Гостиницы на час, глухие поляны в парках, крыши домов, даже лифты и кабинка на колесе обозрения.

А потом появился Ричард.

Федор (не лучший в мире аналитик) долго считал: их с Лейлой встречи срываются по объективным причинам. Только через месяц задумался, что у Лейлы и раньше бывали экзамены, работа, простуда, недосыпы и головная боль. Но девушка никогда не отказывалась с ним увидеться. И трубку телефона снимала всегда. А теперь, осторожно, ласково, аккуратно, стала вытеснять его из своей жизни.

Экивоков он не признавал — подкараулил однажды после работы, прижал к стене, велел говорить всю правду.

Запираться Лейла не стала. Призналась честно: новый преподаватель Ричард молод, умен и красив. Плюс не женат, и контракт у него только на год. «А еще в Америке взять под опеку аутиста не позорно, а, наоборот, круто. Прости меня, Федечка. Я ведь тебе всегда говорила, что мечтаю уехать отсюда. Не хочу жить в стране, где на братика постоянно пальцем показывают и смеются».

Уговаривать, унижаться не стал. Даже фингал под глаз на прощанье не поставил.

Но как жить дальше — не знал.

Все вдруг начало раздражать. Работа. Мать. Ярик. Грязь на улицах. Давка в автобусах.

И самое горькое — не с кем даже поговорить. На работе Федор приятелей не завел. Давние друзья-спортсмены еще раньше расползлись кто куда. Мать с братом в собеседники тем более не годились.

Да и о чем говорить? Жаловаться, что девчонка бросила? Позорно и мелко.

Так и копились внутри невыплеснутые обиды и злоба. Федя ходил мрачный. Часто задумывался о грустном, глядел в одну точку. Когда работал с учениками, указания выплевывал сквозь зубы. На него даже администратору жаловались, что невежливый.

А один новенький — слишком взрослый и гламурный в сравнении с остальными спортсменами-подростками — как-то дождался, пока Федор переоденется после тренировки. Подошел и спросил:

— Тебе плохо, братан?

— Твое какое дело? — рявкнул инструктор.

— Не ешь, Серый Волк, я тебе пригожусь, — улыбнулся тот. — У меня половина Москвы в друзьях. Кто тебе нужен? Врач? Психоаналитик? Наемный убийца? Или просто поговорить?

Смотрел с таким искренним сочувствием, что Федю, для самого неожиданно, понесло. Дал отвести себя в ресторан и выложил доброхоту по имени Филипп все, как на духу.

Тот утешать Дорофеева-старшего не стал. Наоборот, рассмеялся:

— Девчонка бросила? Тоже мне, проблема. Ты красавчик, спортсмен. Только свистни — десяток других прибежит!

— Ты не понимаешь, — вздохнул Федор. — Лейла была особенная. Удивительная. Не знаю, как жить теперь.

Фил взглянул внимательно:

— Знаешь, Федор. Я, конечно, не психиатр, но в корень смотреть умею. И мой тебе приговор: эта, как ее, Лейла просто катализатором стала. А по большому счету дело не в ней. Ты просто устал.

Задолбался. Как хомяк — вечно бежишь по кругу. Работа да брат больной на шее. У тебя что-нибудь еще в жизни есть?

— Лейла еще была.

— Вообще супер. Впахивать с утра до ночи. Инвалида тянуть. И по девчонке сохнуть. А *ради себя* ты жить пробовал?

Федор не любил, когда капали на мозг, но у Фила получалось совсем не обидно. И глаза жалостливые. И слова правильные.

— Ты ведь спортсмен. Небось с раннего детства, как раб. Тренировки. Сборы. А когда дома — трусы брату меняешь.

— Нет, трусы мать меняла. А в десять лет он писаться перестал, — улыбнулся Федор. И признал: — Но для себя жить я не умею, ты прав. Да и как? Спиртное не люблю. Курить не буду.

— Эх, дурак-дурачина! Спиртное из магазинов я тоже не пью. А ты вино с оценкой двадцать по шкале Дженсис Робинсон[1] когда-нибудь пробовал?

— Чего?

— А буайбес? Конфи из кролика со специями? Шоколад черно-белый?

— Про буайбес с конфи не знаю. А шоколад ел всякий.

Фил расхохотался еще пуще:

— Девственник ты! Шоколад — это секс. Сразу с двумя — с блондиночкой и с брюнеткой.

---

[1] Шкала оценки вин. Рейтинг от 18.5 до 20 получают выдающиеся вина. Ниже 10 — «дефектные».

Федя сложно сходился с людьми, но Фил с его потоком планов, идей, фантазий налетел, закружил, потащил за собой. К паркуру Долматов, впрочем, быстро охладел, на занятия приходил редко. А с Федором виделись почти каждую неделю. Рестораны, бары, ночные клубы, бордели, презентации, тусовки.

Выбраться из депрессии, однако, помогли не вкусная еда, не девочки и не вино, в котором сомелье Долматов разбирался досконально.

Именно Фил подкинул Федору идею создать свой канал на «Ютьюбе».

Дорофеев опешил: «Ты что? Я не смогу! Откуда деньги? Да и канал сейчас у каждого! С десятком, от силы, подписчиков. Смешно».

Но Долматов твердо произнес:

— Если человек — ноль, его никто и не смотрит. А ты — уникальный спортсмен. И паркур — не скрипка. Сальто с сарая хочет научиться крутить каждый подросток. Если с умом к делу подойдешь — обогатишься.

И не просто идею подал. Теребил, заставлял попробовать. А когда Федор взялся, постоянно подсказывал, помогал, одалживал деньги, чтобы купить аппаратуру, подписчиков подгонял.

Развивалось начинание медленно, но Фил клялся: очень скоро Федор станет миллионером.

Дорофеев не очень-то верил, но к первому своему и единственному другу прикипал все больше.

Однажды сидели в баре, смаковали очередное шабли, молчали. Панорамное окно расписывал дождь, фоном играла музыка из «Крестного отца».

Долматов допил свой бокал и вдруг — абсолютно без связи с угасшим разговором — процитировал:

— «Месть — это удовлетворение чувства чести, как бы извращенно, преступно, болезненно это чувство подчас ни проявлялось».

— Чего? — опешил Федор.

— Не чего, а кто. Йохан Хейзинга. Нидерландский философ и историк. Хорошо сказал, да?

— Ну... нормально.

— Как там твоя бывшая поживает? — подмигнул Долматов.

Федор поморщился: зачем больную тему поднимать? Только забываться начало, и тут опять соль на рану. Буркнул:

— А чего мне до нее?

С Лейлой он изредка пересекался в Центре. Сухо здоровался. Она вежливо кивала.

— Странный ты, — вздохнул Фил. — Тебя кинули — а ты утерся и дальше пошел.

— А что мне, на коленях перед ней стоять? — нервно хмыкнул Федя.

— При чем здесь колени? Ты ни в чем не виноват. Виновата она.

— Сердцу не прикажешь.

— Бред! — взвился Долматов. — Запомни, Федя. Ты не сопляк и не быдло. Нельзя позволять, чтобы тебя бросали.

— Не понимаю.

Долматов улыбнулся:

— От меня в седьмом классе тоже девчонка

ушла. Так я угнал мотоцикл и сбил ее. Насмерть. Теперь жалею.

— Ты шутишь?

— Нет. Я не о том жалею, что она сдохла. Жаль, что слишком просто получилось, слишком скучно. Никогда нельзя убивать сразу. Тут как в кулинарии: все должно быть со вкусом, со смаком. Сначала уничтожаешь тех, кого она любит. Наслаждаешься ее горем, слезами. Получаешь приятное послевкусие. А главную жертву оставляешь напоследок. Режешь ее кожу на ремешки и ловишь кайф, когда она вопит и молит о пощаде.

Увидел, как вытянулось лицо Федора. Хихикнул:

— Расслабься. Я пошутил.

— Ты сумасшедший, — с облегчением произнес Федя.

Однако слова нового друга крепко запали в душу.

Нет, он ни в коем случае не собирался убивать Лейлу. Но Ричарду — счастливому, розовощекому, довольному американцу-котяре — смерти желал, что скрывать. Стереть бы навсегда с его лица эту гадкую улыбочку *удовлетворенного любовника!*

Впрочем, путей, как уничтожить врага, Федор не видел. Нет, сам процесс убийства его не смущал. Хоть пулю всадить, хоть битой по голове. Только вот потом в тюрьму идти совсем не хотелось.

Филипп не напоминал о странном их разговоре. Однако вскоре пришел на занятие по паркуру вместе с нескладным, дерганым, постоянно кривящим рот подростком.

— Кто это? — шепнул другу Федор.

— Исполнитель, — подмигнул Долматов.

Болтовни о постороннем на тренировке Дорофеев не допускал, странного парня больше не обсуждали. Занимались отработкой сальто назад. Федор сразу понял: паркур подростку не понравился, больше он не придет. Подросток даже до конца тренировки не дотерпел, сбежал.

А Фил с Федором — уже по традиции — отправились после занятий выпить по бокалу вина.

Долматов хитро улыбнулся:

— Специально приводил тебе показать. Скоро парень прославится.

— Уж точно, не в паркуре.

— Нет, не в паркуре. Ленчик — редкий типаж. Мало кто решится нашу сонную столицу встряхнуть. А Ленчик готов. И у отца его есть ружье. Код от сейфа пацан знает. Сечешь, к чему я?

— Пока нет, — отозвался Федор. Однако по коже побежал приятный холодок.

Долматов спокойно продолжал:

— Ленчик — не трепло. Он реально чокнутый. Только примитивный. Хотел банально одноклассников пострелять. Но я его отговорил. Предложил кое-что интересней.

— И что же?

— Твой инвалидный центр — он хорошо охраняется?

Федор вспомнил потрясающие глаза Лейлы — влюбленные, зеленые, в крапинку — и решительно запротестовал:

— Нет. Не смей.

— Да ты не бойся! Цацу твою Ленчик не тронет. Ее ты сам убивать будешь, — фамильярно успокоил Долматов. — Давай ему америкàна скормим. И с десяток дебилов заодно. Отличный план, по-моему. Парень прославится. Ты свою проблему решишь.

— А ты? — мрачно взглянул на приятеля Федор.

— А я получу эстетическое удовольствие.

— Нет. Это дикость и чушь.

— Как знаешь, — не стал уговаривать Долматов. — Я тогда Ленчика куда-нибудь еще приспособлю. Эффектных *точек* в столице много.

Расстались холодно.

Федор не спал всю ночь.

Он уже знал: Филя не треплет. Тот успел рассказать ему о своих убеждениях. Долматов не абстрактно ненавидел *малые народы, убогих, спившихся*. Он — действовал.

Однажды, за сырами и калифорнийским вином, Фил с хитрой улыбкой сказал:

— Обязательно посмотри завтра новости.

— И что будет?

— Думаю, очень большая авария. С жертвами.

Больше никаких деталей не раскрыл. Но на следующий день по всем каналам вопили: пьяный водитель грузовика врезался в толпу рабочих, которые стояли на обочине Ярославки. Погибли девять человек — граждане Узбекистана, Туркмении и Молдавии.

Федор попытался вытребовать у друга, откуда тот знал.

Однако Фил твердо ответил:

— Забей. Мыслить, как я, ты все равно не будешь. А зачем тогда тебе подробности? Меньше знаешь — крепче спишь.

Да, Федор никогда бы не стал убивать абстрактных и ни в чем не повинных узбеков. Но когда речь шла о кровном враге, план в его голове сложился сам собой.

Ричард преподает рисование. Брат Лейлы Тема — его преданный ученик. Группа часто выходит во двор, на пленэр. Охраны в Центре реабилитации практически нет — дедуля на проходной не в счет.

«Вдруг, правда, Ленчик всех перестреляет? — металась в голове мысль. — Лейла тогда останется одна. Несчастная. Неприкаянная. Вернется ко мне. И брат больше не будет у нее на шее висеть».

— Ты тогда тоже *убийцей* станешь, — шепнул внутренний голос.

Но Федор себя успокоил: лично он никого убивать не собирается. И если странный Ленчик не струсит, избавиться чужими руками от Ричарда будет очень даже неплохо. А на щепки — учеников — плевать. Брат — ладно, к нему он привык. Но в целом Фил прав: аутисты — недочеловеки.

* * *

Ленчика на паркур Долматов больше не приводил. Тему убийства тоже не поднимал. Федор мялся, сомневался — однако решился. Сам начал разговор. Спросил:

— Твой герой рисовать умеет?

— Какой герой?

— Ленчик.

— Если надо, научим, — усмехнулся Фил.

Сунул руку в карман, глянул с вызовом:

— Продолжай.

И Федя заговорил, чувствуя себя одновременно счастливым и грязным:

— Американ в инвалидном центре рисование преподает. Учит в принципе только тех, кто официально ходит. Но он такой типа благотворитель. Я слышал, людей с улицы тоже берет.

— И что? — вопросительно взглянул Фил.

— Не понимаешь? Надо отправить Ленчика к нему. Пусть попросит дать урок или в группу взять. Сходит раз, другой. Узнает расписание, планы. Ну и... как-нибудь при случае...

— Придет с винтовкой на урок?

— Зачем? Забор вокруг Центра невысокий. А Ричард свою группу часто выводит природу рисовать.

— И что я с этого буду иметь? — весело спросил Фил.

— А что ты хочешь?

Друг не сомневался ни секунды:

— От твоего канала половину доходов.

— Пока там только расходы, — буркнул Федор.

— Счастье внезапно приходит, — улыбнулся Долматов. — Ну что? Договорились?

— Подавись! — протянул ему руку Дорофеев-старший.

На следующий день Фил с Ленчиком снова пришли в батутный центр. Подождали, пока у Феди кончится тренировка, поднялись на второй этаж, сели все втроем в баре. Фил распорядился:

— Поведай ему план. Подробно и без эмоций.

Склонился к уху, добавил:

— Обязательно скажи: «Будешь делать то же самое, что в тире. Только мишени другие». А то он испугается.

Федя поморщился, но спорить не стал.

Леня слушал внимательно, кивал. Нервно хрустел пальцами, облизывал губы. А Федор вдруг почувствовал: на него смотрят.

Резко обернулся и увидел: знакомое лицо. Женщина. Молодая. Внимательно глядит на него.

На всякий случай прикрыл лицо рукой. Дама прошествовала мимо — к стойке бара.

Федор нервно сказал:

— Мне пора домой.

— Пошли, — кивнул Фил Ленчику.

Они расплатились и покинули заведение.

А Федя полночи мучился — вспоминал. И лишь под утро дошло: тетка была училка из Ярикова инвалидного центра. Ее имени и что преподает, он не помнил, но, кажется, брат к ней ходил. Да. Точно. Однажды дама провожала младшего до ресепшена и на прощанье хвалила. Тогда он ее и запомнил. А она наверняка — его. Черт. Черт.

Когда завтракали, спросил младшего, словно бы между делом:

— Ярик, ты сейчас на какие занятия ходишь?

— Хожу, — привычно повторил брат.

Да, *списка* от больного аутизмом не дождешься.

— Рисование?

— Нет.

(И отлично!)

— Музыка?

— Нет.

— Кубик Рубика какой-нибудь?

— Нет. Давно собрал. Скучно.

— А-а, по-моему, ты ходишь на балет? — улыбнулся Федор.

Брат насупился:

— Не буду ничего говорить.

«Ну и черт с тобой», — подумал Федор.

Будем считать: тетка его не узнала. А если узнала — и что? Ну, сидит, выпивает с двумя парнями. Имеет полное право.

Но дней через десять Ярик его огорошил: Оля, любовь.

Дальше — круче.

Младший провел аналитику, сбежал из дома, сумел найти детективное агентство. Вместе с сыщицей выкрутил брату руки — заставил договор подписать.

«Не та ли эта Оля, что на нас тогда в торговом центре смотрела?» — снова забеспокоился Федор.

Но быстро себя успокоил: училок в центре — штук двадцать. И даже если это та — так и очень хорошо, что сбежала. И вряд ли юная и не слишком умная Римма ее найдет.

Что повелся на уговоры Ярика и нанял детективщицу — кто спорит, безусловный минус. Но в тот же день случился и плюс. Мать пришла виниться, что за младшим недосмотрела. Федя ее немедленно за жабры взял:

— Это, ма, все потому, что ты пьешь. И Ярик чуть не погиб, и ты выглядишь плохо. Спиртное тебе десяток лет прибавляет.

— Ну, давай закодируюсь, — буркнула неохотно.

— Давай, — обрадовался сын.

И немедленно свозил к наркологу.

А вечером сел за компьютер. Решил все-таки выяснить, *кого* они с Яриком ищут.

Открыл сайт инвалидного центра, внимательно рассмотрел фотографии всех педагогов.

Увы, его опасения подтвердились. В торговом центре на них с Долматовым и Ленчиком глазела именно эта Ольга.

Совсем поздно позвонил Фил, позвал выпить. Федя — нервы на взводе — с удовольствием согласился. Мать торжественно поклялась: с Ярослава не спустит глаз.

Дорофеев подсел за столик к другу, официант открыл вино. Долматов хитро улыбнулся:

— Ты почему на премьеру-то не пришел?

— Куда? — опешил Федор.

— Как? Аутисты балет танцевали. Твой брат — в главной партии! Почти неделю назад.

— А, уже премьера была? Да я туда и не собирался. Не воспринимаю всерьез эту дурь. И за брата стыдно. Для мужика балет — вообще позор.

— Дикий ты человек. Лично я в Главный театр хожу с удовольствием, — сообщил Фил. — И на брата твоего ходил.

— Ты шутишь? Правда, что ли, ходил?

— А что, интересно. Тем более не «Чиполлино» какой-нибудь. Они на серьезный балет замахнулись. «Артефакт-сюита» Фредерика Форсайта. В Доме культуры целый зал снимали.

— Никогда не поверю, что ты ходил туда из любви к искусству. — Федор потихоньку начинал нервничать.

— Ты прав. Я ходил туда злиться. Убогие на сцене меня реально бесят, — хмыкнул Долматов. Впрочем, поспешно добавил: — К твоему брату это не относится. Он ничего такой был. Почти гармоничный.

Сделал огромный — совсем не достойный сомелье — глоток и желчно добавил:

— Но в целом инвалиды на пуантах и в танцевальных туфлях — это полное извращение. А СМИ — идиоты. Что наши, что западные. Как мухи на навоз слетелись! У балетмейстерши интервью взять — целая очередь столпилась.

Снова отхлебнул, улыбнулся:

— Я утром сегодня ей тоже позвонил. Пару слов сказал.

— Каких? — растерялся Федор.

— Ласковых. Не хочу, чтобы она и дальше ставила балеты. И еще парнишку одного послал ей под дверь дохлую крысу подкинуть. — Лицо Фила стало жестким.

Феде сделалось совсем тревожно.

Ему наконец стало понятно: Ольга сбежала вовсе не из-за Ярика. Скорее всего молодая женщина испугалась угроз, мерзких посылок.

Счастье, что в баре она их видела за несколько дней *до угроз*! И вообще могла ничего не заметить. А если и узнала Федора — вряд ли запомнила его спутников.

Но вдруг... Вдруг у балерины Олечки глаз-алмаз? И мышление аналитика?

Федор — брат пациента. Филипп ей угрожал. Леня уже ходит на занятия к Ричарду. Они все трое сидели за одним столом. Бинго!

Уговорить, умолить Фила, чтобы сумасшедший подросток шел убивать куда-то в другое место? Но тогда Ричард останется в живых. И Лейла по-прежнему будет при американце...

И Дорофеев-старший принял решение: пусть все идет как идет.

Но пошло все катастрофически, просто крайне неудачно.

На следующий день Леня Симачев совершил свой *подвиг*.

А Римма — хотя он как заказчик не поручал ей никакой командировки — именно в этот день прилетела в Псков и обнаружила там Ольгу.

Федор реально перепугался.

Сразу после того, как поговорил с Риммой, позвонил Долматову. Потребовал немедленно встречи. Друг примчался. Федя рассказал про Ярикову любовь. Что нанял детектива, и та нашла Ольгу в Пскове.

Поведал и о том, что преподавательница скорее всего их видела. Всех троих. Вместе.

Фил нахмурился:

— Какого ж хрена ты тогда нанимал сыщицу, чтобы ее искать? Сам, что ли, на голову больной?

Дорофеев-старший покраснел:

— Да я долго не знал, что эта тетка в баре — именно Ольга. Я ее фотку увидел только после того, как Римму нанял.

— Ну не дебил?! — взорвался Филипп. — А мне почему не сказал?! Еще тогда, в баре?

— Да не знал я! Думал, просто *какая-то* училка. И не думал, что ты такой дурак. Что ты лично ее пугать будешь!

— Откуда ты знаешь, что я ее лично пугал?

— Ярик сказал сыщице: в Главном театре подошел дядя и сказал гадость. Кто у нас любитель балета? Ты. Больше некому.

— Да, я. Тоже козел, — самокритично признал Фил. — Очень зол был. Не удержался. Но если в баре она запомнила, что именно ты сидишь с Ленчиком и со мной, дела твои хреновые. Олечка тебя первым сдаст.

— И что теперь делать? — Федя совсем растерялся.

— Срочно мчать в Псков и убирать ее к черту.

— А вдруг она все уже рассказала?

— Тогда не повезло. Но ехать все равно надо.

— Куда?

— В Псков, черт тебя подери!

— Но... зачем тебе я?

Фил нехорошо прищурился:

— А ты хочешь чистеньким остаться? Не выйдет. Заказ выполняли твой. Вот и будь любезен тоже разгребать дерьмо.

— Я не давал никакого заказа!

— Прости, друг. Аудиозапись, конечно, не доказательство, но суд во внимание принимает. А ты хорошо соловьем разливался: как подобраться к Ричарду и откуда лучше в него стрелять.

— Вот ты тварь! — выдохнул Федор.

Фил мило улыбнулся:

— Давай не будем ссориться. Времени у нас мало. А до Пскова неблизко. Поезд, самолет отпадают, на электричках долго. Так что стартуем на моей машине. Прямо сейчас.

По Новорижскому шоссе ехали молча. Федор страшно злился — в первую очередь на себя, что поддался «на слабо». Наконец не выдержал:

— Останови машину, я выйду.

— Черта с два.

— Я тебе ничем не обязан. Заказ не выполнен. Американец жив.

Долматов поморщился:

— Это временно.

— И кто будет добивать? — усмехнулся Федор.

— Уж точно не мы, — фыркнул Долматов.

— У тебя есть еще один Ленчик?

— Зачем? Я куда тоньше сработал. Повидался сегодня с отцом одного парня погибшего. Настроил его как надо. Мол, сволочь американская детей наших не уберег. Должен был их своим телом прикрыть. А он, наоборот, улепетывал. Поэтому и пулю получил в спину.

— Откуда ты знаешь, что в спину?

— Не знаю. Но папаша поверил. Так что за американа не волнуйся — его ликвидируют. И для твоих целей будет куда эффективнее: сначала баба своего брата лишилась. Через пару дней жениха потеряет. Потом и ее черед придет. Ты как именно ее мочить будешь?

— Не твое дело, — буркнул Федор.

Разве мог он признаться *подельнику,* что не убивать Лейлу хочет, а, наоборот, ее добиваться?!

— Ладно, — легко согласился Фил, — не до твоей чмары сейчас. Давай про текущий план действий. Ты адрес знаешь?

— К-какой? — Федор почувствовал, что краснеет.

— Раз твоя сыщица поехала в Псков выслеживать балерину, значит, она знала адрес?

— Да... наверное. Но я не спросил.

— Козлина! — ругнулся Долматов. — Где теперь искать? В Пскове тысяч двести народу.

— Ольга... она не в городе. В каких-то Прасковичах. Это деревня рядом, — вспомнил Федор.

— И что? — продолжал бушевать Фил. — Мы там окажемся ночью. Чего, будем алкоголиков на улице останавливать? Спрашивать, где московская балерина живет?!

— Но Римме... Римме сейчас звонить нельзя! Она может заподозрить! — запаниковал Федор.

— Вот вся твоя суть! — презрительно фыркнул Фил. — С виду — гора мышц. А нутро девчачье. Боюсь. Страшно... Что делать — не знаю.

— Римма сказала, что Ольга у жениха живет. — Федор отчаянно напрягал память. — Фамилию его называла... Сейчас. Сейчас я вспомню. Георгий Климко. Вот.

— Хоть что-то. — Голос Фила потеплел. — Садись за руль, я этого Климко по базам пробью.

— Я права недавно получил. И практики нет — не на чем пока ездить.

— Вот что ты за мужик — то не могу, се не умею! — приговорил Долматов.

А Федор почувствовал: в нем закипает, поднимается огромной волной страшная злость. На якобы друга, который умело сыграл на его чувствах, втянул в дикую историю, а теперь нагло использует.

И еще появилось четкое осознание: при первом удобном случае Фил его сдаст. Или устранит как ненужного свидетеля.

Когда остановились на заправке, панически подумал: «Может, сбежать, пока еще не поздно? Вообще сбежать, отовсюду? От Фила, от Ярика, из России?»

Но взглянул в мутном зеркале на собственное растерянное лицо — и стыдно стало отчаянно.

Не убегать нужно, а, наоборот, инициативу перехватывать.

Иначе всю жизнь прятаться придется.

Павел Синичкин

Римка моя — смешная, как все девчонки.

Мечтает сама детективом стать, но первую, самую элементарную заповедь не усвоила, хотя я ей сто раз повторял.

Прежде чем за дело браться, узнай, на кого работаешь.

А она увидела только рябь, пену морскую: несчастный аутист, благородный старший брат-опекун. Очертя голову ринулась в Псков. Хотя еще до поездки нужно было пообщаться с матерью братьев. Сходить к Федору на работу. Да хотя бы через Интернет его пробить!

Меня с самого начала старший Дорофеев, благороднейший рыцарь, насторожил. Слишком благостно он выглядел. Слишком жертвенно.

И в Римкиных досье я увидел серьезные пробелы.

Секретарша моя утверждала: братья живут на Федину зарплату и еле сводят концы с концами. Но я — единственным кликом — выяснил, что у старшего на «Ютьюбе» имеется чрезвычайно перспективный, со стремительным развитием канал. Прирост подписчиков — сумасшедший. Парень уже рублевый миллионер и очень скоро станет миллионером долларовым.

Я не спец по раскрутке блогеров, но почувствовал сразу: кто-то за Дорофеевым стоит. Как минимум направляет и подсказывает. А возможно — спонсирует. Не может парень, который с трудом на «троечки» школу закончил, подобное дело в одиночку раскрутить.

Отправился в батутный центр, и даже секретаршу не пришлось беспокоить. Младший брат мне простодушно поведал: у Феди имеется друг. А имя друга — Фил. Оставалось только фотографию Долматова показать — а дальше спокойно соревноваться с аутистом, кто сможет дальше бросить мягкий мячик.

Так я получил важнейший, основополагающий посыл: раз Фил и Федя друзья, Дорофеев-старший, вероятно, тоже причастен к бойне в доме инвалидов. Оставалось выяснить, каким боком.

Прямо из батутного центра я поехал к ним домой и поговорил с матерью братьев.

Перезрелая и, несомненно, скучающая дама мне кокетливо улыбалась, активно строила глазки. Я охотно принял игру, прожигал ее очами, отвешивал комплименты. Но и разговор не забывал направлять в нужное мне русло.

С сочувствием выслушал жалобы на сыновей. Особенно сердита женщина была на старшего:

— Заставил меня подшиться, подлец! Говорил — для моего блага. И в чем оно, это благо? С инвалидом безвылазно сидеть?

— Но Федя ведь только на работу ходит!

— Какое там! И в кабаки, и по бабам! И на ночь может. Недавно вообще на сутки уезжал. А у меня, когда Ярика слишком много, давление поднимается.

На кухне висел календарь с пушистым котиком с бантиком и в корзинке.

Мы прошлись по датам и выяснили: на целые сутки Федор уехал как раз вечером того дня, когда в Москве расстреляли инвалидов. А потом вновь отсутствовал, тоже почти двадцать четыре часа. В день его возвращения во Владимирской области обнаружили тело Долматова.

Логично было предположить, что именно Федор с Филом ездили в Псков убивать Ольгу. И они же (кто-то один или вместе) грамотно обработали отца погибшего Костика Кулаева, художника-ауписта. Выдали ему всю информацию: в какой больнице Ричард, на каком этаже, номер палаты сказали. Мужчина (арестовали его в Турции) не отрицал, что убил. Но подробно рассказал, как в баре к нему подсел некий молодой человек и, на пьяную голову, накрутил: американец, мол, был в сговоре с Леней, специально уничтожает наших детей... Адвокаты несчастного отца не сомневались, что докажут состояние аффекта. Мои источники в полиции тоже считали: Кулаеву дадут от силы пару лет.

А Дорофеев, вероятно, решил: «Знает один — знает один. Знают два — знают двадцать два». Он боялся, что Долматов может заговорить, его сдать. И убрал свидетеля. Убил своего друга.

У полицейских наверняка имелись доказательства. Записи с видеокамер, отпечатки пальцев, результаты экспертиз. Но я мог прижать Федора только показаниями матери.

Ну, и еще видел: мачо-паркурист, предмет Римкиного вожделения, откровенно нервничает.

* * *

— Римма, — попросил Павел, — уведи, пожалуйста, Ярика.

Молодой человек не сопротивлялся. Послушно протянул девушке руку, вышел с ней вместе из гостиной.

Синичкин остался с Федором один на один. Тихо спросил:

— Тебе Ольгу не жаль было?

Дорофеев-старший взглянул затравленно. И даже не попробовал отпираться. Тяжело вздохнул:

— Жаль. Но она дура. Стала нам угрожать. Говорить, что все вспомнила. Что сдаст с потрохами. Сама виновата.

— Как вы ее нашли?

Попытался улыбнуться издевательски, но вышло грустно:

— Вашей Римме скажите спасибо. Я у нее выяснил: Ольга в Прасковичах, у жениха Георгия Климко. Мы с Филом узнали точный адрес, приехали. Времени — половина пятого утра. В доме темно. Сидим в машине, думаем, что дальше делать. И вдруг видим: Ольга выходит. Бегом бросается через деревню к шоссе. Бог нам послал — ну, или дьявол. Ясное дело, мы ее догнали.

— А зачем ты Долматова убил?

— Фил сам виноват, — усмехнулся Федор. — Сказал, когда домой возвращались, да с таким пафосом: «Мы теперь кровью повязаны. Я тебе брат. Ближе Ярика».

Взглянул с вызовом:

— А на фига мне брат, который в любой момент заложить может? — Помолчал. Продолжил: — Но тогда я с ним спорить не стал. Брат так брат. Согласился. Больше доверять будет. Фил от меня своих планов не скрывал. Он по пути обратно коттедж снял под Киржачом. Во Владимирской области. Звал прямо из Пскова вместе туда поехать, отсидеться. Но мне нужно было домой заскочить, Ярика проверить и мать — чтобы не запила. — Улыбнулся. — Поэтому я только на следующий день в эту Дубравку причапал. Хотел сначала машину напрокат взять, но потом решил на рейсовом автобусе. Чтоб светиться поменьше — и чтобы выпить спокойно можно было. Мы с Филей часто вместе киряли. Вот и бухнули — в последний раз. Брат мой названый клофелина в коньяке даже не почувствовал.

* * *

В одном Фил оказался прав: убивать — абсолютно несложно. Особенно когда тобой движет ненависть.

Да, сначала, когда Федор только увидел беззащитную Ольгу ночью на безлюдном пляже, ему было страшно и жалко. Балерина, похоже, поняла, что он боится. И решила сразить трусость смелостью. Начала нападать. Клялась, что все равно их сдаст. Кричала, что на пляж *уже идут* люди. Даже Фил ей почти поверил. Но Федор заглянул Ольге в глаза — и понял: она всего лишь актриса. Отлично играет.

А потом — сжал руки на ее шее. Легко сбил подсечкой и сунул голову девушки в ледяную воду.

Упорная балерина трепыхалась минуты три. Но потом все-таки затихла.

А он даже какое-то очарование почувствовал. Особенность, святость момента — когда жизнь выходит из тела.

За агонией Фила — она растянулась на целый час — тоже наблюдал внимательно, почти с удовольствием.

Но очень надеялся — больше убивать ему не придется.

Кто мог подумать, что Лейла его не примет!

* * *

Федор ожидал от любимой чего угодно. Слез, обвинений, даже скандала. Он догадывался: потерять разом брата и возлюбленного (тем более перспективного) девушке тяжело. Был готов утешать, унижаться, выслуживаться.

Долго думал, покупать ли букет. На похоронах — двух подряд — ей и так, наверное, цветов хватило. Однако решился. Выбрал солнечные ярко-оранжевые тюльпаны.

Караулить у Центра реабилитации не стал — встретил вечером у дома. Лейла еле волочила ноги, брела пешком от метро.

Увидел — и такое счастье накатило, такая вселенская жалость! Протянул цветы, пробормотал:

— Заинька ты моя.

Ее лицо мгновенно закаменело. Отвела его руку с букетом. Спросила противным, совсем не своим, каркающим голосом:

— Что тебе надо?

— Лейла, мне так жаль!

На глазах выступили совсем не мужские слезы.

Она взглянула внимательно — будто прожгла своими зелеными, крапчатыми до самого донышка. И тихо произнесла:

— Все ты врешь.

— Любимая!..

— Перестань. — Она яростно шваркнула его тюльпаны на грязный асфальт. — Я все вижу и знаю! Ты ненавидел моего брата, терпеть не мог Ричарда. И ты просто *счастлив,* что все так случилось!

— Нет. Я очень тебе сочувствую. И сделаю все, чтобы ты снова стала счастливой!

— Так я и была! С ними! А ты... ты... да я видеть тебя не могу! — яростно топнула ногой.

— Почему? — растерянно спросил Федор.

— Ты примитивный, плоский, скучный, никчемный человек! — четырьмя прилагательными уничтожила она.

— Лейла. — Он ушам своим не верил. — Нам ведь было так хорошо вместе!

— О, да ты еще и лопух! — презрительно сузила глаза. — Даже не различаешь, когда девушка притворяется — и когда ей действительно хорошо!

Ему хотелось зажать уши, затопать ногами — как делал в детстве. Но скрипнул зубами, спокойно сказал:

— Ты сама не понимаешь, что говоришь. Тебе просто сейчас тяжело, и...

— Мне нормально. То есть да, тяжело одной. Но с тобой я не буду никогда.

— Почему?

— Потому что очень хорошая есть пословица. Лучше быть одной, чем с кем попало.

— Значит, я — «кто попало»? — горько вымолвил он.

— Ты хуже, — выплюнула она. — Иди в свой батутный центр, сделай сальто. Авось полегчает.

— Лейла, я не верю, что настолько тебе неприятен, — упорствовал Федор.

— Не веришь?! Так слушай: мне лучше на кладбище жить. Возле брата и Ричарда — мертвых! Чем вместе с живым — тобой!!!

Он, конечно, предполагал, что вернуть ее будет непросто. Но сейчас смотрел, какой ненавистью сочились глаза — зеленые в крапинку, — и понимал: Фил был прав. Нельзя унижаться перед девушками, которые тебя бросили. Их действительно надо убивать.

Так он и поступил — в память о мертвом названом брате.

Взял в каршеринге машину. Полночи катался по району — вспоминал почти забытые навыки вождения.

А с раннего утра подъехал к дому Лейлы. Когда она села в свой автомобильчик и отправилась в сторону МКАД, обрадовался. А уж когда маршрут предавшей возлюбленной завершился на пустынном по буднему дню кладбище, и вовсе пришел в восторг. Машину, чтобы не светить на стоянке, загнал в лесок. В юдоль печали пролез через дырку в заборе. И легко углядел яркую куртку Лейлы среди могил.

Никогда раньше он трубки у тормозов не перерезал, но дело оказалось нехитрым. А уж до чего приятно оказалось увидеть, как на обратном пути Лейла газанула — и полетела прямиком в бетонный отбойник!

Римма

Зря говорят, что аутистам самое важное — оставаться наедине с собой. Вышел с ней из комнаты Ярик легко. Но едва оказались в кухне, начал нервничать. Она перепробовала все, только чтобы парень увлекся. Совала ему домино, пазлы, игральные карты, отдала собственный пробник туалетной воды. Но Ярослав, словно неразумный детсадовец, все дары отшвыривал. Повторял:

— Ярик бояться. Ярик хочет к Федя.

И в конце концов случилось совсем ужасное: он просто ее оттолкнул. С силой, словно уличный хулиган. Ушел обратно в гостиную.

Римма поспешила за ним. И застала ужасную сцену.

Федор стоял на подоконнике. Окно за его спиной распахнуто. В комнате пляшет свежий ветер, за спиной Дорофеева-старшего угадывается огромная высота. Но лицо его бесстрастно. Только когда увидел брата — слегка улыбнулся. Спокойно сказал:

— Я *звал* тебя, Ярик. Ты почувствовал, молодец. Подойди ко мне.

И парень — не раздумывая, словно истинный вассал или самурай, — последовал к своему господину.

Римма сразу все поняла.

Дорофеев-старший хочет уйти навсегда — и взять брата с собой.

— Ярик! — выкрикнула она. — Не надо! Смерть — это страшно! Ты нужен здесь! Нужен всем!

— Не слушай ее, — усмехнулся Федор. — Ты жалкий инвалид и не нужен никому, кроме меня. А я остаться с тобой *здесь* не могу. Иди ко мне, Ярослав. Ты всегда хотел полетать. Мы это сделаем.

Римма завопила:

— Ярик, пожалуйста! Он все врет! Умирать — это больно, страшно и глупо!

Однако подросток не слушал. Он медленно, но твердо шагал к окну. К брату.

Павел, вместо того чтобы помочь, зачем-то вытащил планшет, начал щелкать кнопками.

Римма укоризненно взглянула на шефа и закричала еще громче:

— Ярик, миленький! Но ведь скоро за тобой Оля придет! Она не переживет, если ты умрешь!

— Ярослав, — усмехнулся Федор, — не слушай глупую бабу. Твоя Ольга мертва. Я сам видел ее труп.

Ярик замер.

Старший брат решительно продолжил:

— Я видел своими глазами ее синее лицо. И пену изо рта. Кроваво-серую. Ольга мертва.

Я тебе гарантирую. Но мы попадем в рай и там ее обязательно встретим.

— Ярик, нет никакого рая! — взмолилась Римма.

И тут наконец вступил Синичкин. Решительным шагом подошел к подростку, взял за плечо. Парень завизжал, завертелся, попытался рвануться к окну.

Павел сунул ему под нос планшет. Строго приказал:

— Сначала посмотри. А потом можешь прыгать.

— Ярослав! — взревел с подоконника Федор. — Не верь им! Они тебя обманывают! Ольга мертва!!!

Павел Синичкин

По шкодливому виду Римки я сразу понял: пока я был в Индии, она мне изменила. И сей факт глубоко меня задел.

Сначала хотел мстить — и плевать, что морду бить придется оперативнику.

Но потом взял себя в руки.

Я тоже хорош гусь. Бросил девчонку одну. Да еще весной, когда авитаминоз и гормоны зашкаливают.

И сам не святой. На Гоа мужики никогда в одиночку время не проводят. Я исключением не стал.

Римка страшно испугалась, когда я потребовал у нее телефонный номер соперника. Но, послушная секретарша, десять цифр сказала.

Нурлан тоже сначала напрягся. Но встретиться, поговорить согласился. Я строго сказал, что больше *прыгать на мою секретаршу* не надо. Оперативник из Пскова погрустнел. Но спорить не стал. Понимал: шансов против меня у него нет.

И в качестве компенсации за то, что посягнул на мою собственность, заплатил потрясающую контрибуцию.

Дело становилось ясным, как божий день.

* * *

Планшет включился, и на экране показалось лицо Ольги. Только теперь она совсем не походила на беспечную девчонку — глаз полуприкрыт, рот подергивается. Голос тоже стал глухим, заикающимся:

— Ярик, привет! Я долго болела и даже думала, что умру. Но все-таки выжила и поняла: я очень хочу тебя видеть.

Парень захлопал глазами. Римма в удивлении раскрыла рот. Подошла поближе.

— Ярик, дорогой мой, — продолжала балерина. — Ты правильно делал, что меня ждал. Я не умерла, я здесь, на земле. Меня пытались убить, но я выжила. Только пережила клиническую смерть, неделю находилась в реанимации и танцевать после того, что со мной сделали, уже не могу. Хожу — и то с трудом. Но я жива, я вижу небо и свет! И очень счастлива, что ты меня ждал! Я не могу пока приехать в Москву — не разрешают врачи. Но буду очень рада, если ты навестишь меня в Пскове, в больнице. Пожалуйста, приезжай побыстрее.

— Что за жалкая постановка! — с презрением воскликнул Федор.

Синичкин спокойно ответил:

— Нет, это правда. Убивать тоже надо уметь. Ты не смог. Или ей просто повезло, что вода в реке была холодная и несоленая. А Римма сразу начала делать искусственное дыхание и непрямой массаж сердца. К сожалению, Ольга теперь инвалид — после длительной клинической смерти у нее снижение мышечной координации и спазмы. Жених ее бросил. И она действительно ждет тебя, Ярик. Можешь вместе с Риммой ехать в Псков хоть завтра.

— Значит, она все расскажет... — пробормотал Федор.

— Уже рассказала, — безжалостно подтвердил Павел. — Пусть говорит она с трудом, но мозг пострадал не фатально. Ольга полностью дееспособна и сможет выступить в суде. — Подмигнул Римме. — Спасибо твоему Нурлану за информацию.

— Как же так... — В голосе Дорофеева-старшего прозвучали нечеловеческие боль и отчаяние. — Я не хочу в тюрьму!

— Федя! — Римма молитвенно сложила руки на груди. — Тюрьма — это не навсегда. Пожалуйста, останься с нами. Я сберегу Ярика. Он будет тебя ждать!

Но Дорофеев-старший лишь усмехнулся.

С беспечной улыбкой спросил:

— Включите видео. Нужно снять мой последний прыжок для канала. Кучу лайков наберем. «Ютьюб» взорвется!

Синичкин молча рванулся к нему.

Но не успел.

Римма всхлипнула и закрыла Ярику глаза рукой.

— Федя умирать, — пробормотал подросток.

Плечи его затряслись.

У Риммы по щеке побежала слезинка.

Но Ярик вдруг улыбнулся. Лучисто, радостно.

— Зато Оля жить.

Паша выглянул в окно. Пробормотал:

— На козырек упал... И полиция явилась. Как всегда, очень вовремя.

А Ярик нетерпеливо дернул Римму за рукав:

— Ехать в Псков. Когда?

Авторы горячо благодарят замечательного врача-травматолога Анну Федотову и нашего любимого частного детектива Олега Пытова за неоценимую помощь в работе.

Оглавление

Литературно-художественное издание

Литвинова Анна Витальевна
Литвинов Сергей Витальевич

БРАТ ОТВЕТИТ

Руководитель группы И. Архарова
Ответственный редактор А. Антонова
Редактор А. Гедымин
Младший редактор В. Лосева
Художественный редактор К. Гусарев
Технический редактор Н. Духанина
Компьютерная верстка М. Лазуткина
Корректор В. Соловьева

В коллаже на обложке использованы фотографии:
© Evgeniia Litovchenko, conrado / Shutterstock.com
Используется по лицензии от Shutterstock.com

ООО «Издательство «Эксмо»
123308, Россия, Москва, ул. Зорге, д. 1. Тел.: 8 (495) 411-68-86.
Home page: www.eksmo.ru   E-mail: info@eksmo.ru
Өндіруші: «ЭКСМО» АҚБ Баспасы, 123308, Мәскеу, Ресей, Зорге көшесі, 1 үй.
Тел.: 8 (495) 411-68-86.
Home page: www.eksmo.ru   E-mail: info@eksmo.ru.
Тауар белгісі: «Эксмо»
Интернет-магазин : www.book24.ru

Интернет-магазин : www.book24.kz
Интернет-дүкен : www.book24.kz
Импортёр в Республику Казахстан ТОО «РДЦ-Алматы».
Қазақстан Республикасындағы импорттаушы «РДЦ-Алматы» ЖШС.
Дистрибьютор и представитель по приему претензий на продукцию,
в Республике Казахстан: ТОО «РДЦ-Алматы»
Қазақстан Республикасында дистрибьютор және өнім бойынша арыз-талаптарды
қабылдаушының өкілі «РДЦ-Алматы» ЖШС,
Алматы қ., Домбровский көш., 3«а», литер Б, офис 1.
Тел.: 8 (727) 251-59-90/91/92; E-mail: RDC-Almaty@eksmo.kz
Өнімнің жарамдылық мерзімі шектелмеген.
Сертификация туралы ақпарат сайтта: www.eksmo.ru/certification

Сведения о подтверждении соответствия издания согласно законодательству РФ о техническом
регулировании можно получить на сайте Издательства «Эксмо» www.eksmo.ru/certification
Өндірген мемлекет: Ресей. Сертификация қарастырылмаған

Подписано в печать 24.07.2019. Формат 84x108 $^1/_{32}$.
Гарнитура «Newton». Печать офсетная. Усл. печ. л. 16,8.
Тираж 10000 экз. Заказ 7389.

Отпечатано с готовых файлов заказчика
в АО «Первая Образцовая типография»,
филиал «УЛЬЯНОВСКИЙ ДОМ ПЕЧАТИ»
432980, Россия, г. Ульяновск, ул. Гончарова, 14

В электронном виде книги издательства вы можете купить на www.litres.ru

ЛитРес:
один клик до книг

Москва. ООО «Торговый Дом «Эксмо»
Адрес: 123308, г. Москва, ул. Зорге, д. 1.
Телефон: +7 (495) 411-50-74. **E-mail:** reception@eksmo-sale.ru

По вопросам приобретения книг «Эксмо» зарубежными оптовыми
покупателями обращаться в отдел зарубежных продаж ТД «Эксмо»
E-mail: **international@eksmo-sale.ru**

*International Sales: International wholesale customers should contact
Foreign Sales Department of Trading House «Eksmo» for their orders.*
international@eksmo-sale.ru

По вопросам заказа книг корпоративным клиентам, в том числе в специальном
оформлении, обращаться по тел.: +7 (495) 411-68-59, доб. 2261.
E-mail: **ivanova.ey@eksmo.ru**

Оптовая торговля бумажно-беловыми
и канцелярскими товарами для школы и офиса «Канц-Эксмо»:
Компания «Канц-Эксмо»: 142702, Московская обл., Ленинский р-н, г. Видное-2,
Белокаменное ш., д. 1, а/я 5. Тел./факс +7 (495) 745-28-87 (многоканальный).
e-mail: kanc@eksmo-sale.ru, сайт: www.kanc-eksmo.ru

Филиал «Торгового Дома «Эксмо» в Нижнем Новгороде
Адрес: 603094, г. Нижний Новгород, улица Карпинского, д. 29, бизнес-парк «Грин Плаза»
Телефон: +7 (831) 216-15-91 (92, 93, 94). **E-mail:** reception@eksmonn.ru

Филиал ООО «Издательство «Эксмо» в г. Санкт-Петербурге
Адрес: 192029, г. Санкт-Петербург, пр. Обуховской обороны, д. 84, лит. «Е»
Телефон: +7 (812) 365-46-03 / 04. **E-mail:** server@szko.ru

Филиал ООО «Издательство «Эксмо» в г. Екатеринбурге
Адрес: 620024, г. Екатеринбург, ул. Новинская, д. 2щ
Телефон: +7 (343) 272-72-01 (02/03/04/05/06/08)

Филиал ООО «Издательство «Эксмо» в г. Самаре
Адрес: 443052, г. Самара, пр-т Кирова, д. 75/1, лит. «Е»
Телефон: +7 (846) 207-55-50. **E-mail:** RDC-samara@mail.ru

Филиал ООО «Издательство «Эксмо» в г. Ростове-на-Дону
Адрес: 344023, г. Ростов-на-Дону, ул. Страны Советов, 44А
Телефон: +7(863) 303-62-10. **E-mail:** info@rnd.eksmo.ru

Филиал ООО «Издательство «Эксмо» в г. Новосибирске
Адрес: 630015, г. Новосибирск, Комбинатский пер., д. 3
Телефон: +7(383) 289-91-42. E-mail: eksmo-nsk@yandex.ru

Обособленное подразделение в г. Хабаровске
Фактический адрес: 680000, г. Хабаровск, ул. Фрунзе, 22, оф. 703
Почтовый адрес: 680020, г. Хабаровск, А/Я 1006
Телефон: (4212) 910-120, 910-211. **E-mail:** eksmo-khv@mail.ru

Филиал ООО «Издательство «Эксмо» в г. Тюмени
Центр оптово-розничных продаж Cash&Carry в г. Тюмени
Адрес: 625022, г. Тюмень, ул. Пермякова, 1а, 2 этаж. ТЦ «Перестрой-ка»
Ежедневно с 9.00 до 20.00. Телефон: 8 (3452) 21-53-96

Республика Беларусь: ООО «ЭКСМО АСТ Си энд Си»
Центр оптово-розничных продаж Cash&Carry в г. Минске
Адрес: 220014, Республика Беларусь, г. Минск, проспект Жукова, 44, пом. 1- 17, ТЦ «Outleto»
Телефон: +375 17 251-40-23; +375 44 581-81-92
Режим работы: с 10.00 до 22.00. E-mail: exmoast@yandex.by

Казахстан: «РДЦ Алматы»
Адрес: 050039, г. Алматы, ул. Домбровского, 3А
Телефон: +7 (727) 251-58-12, 251-59-90 (91,92,99). E-mail: RDC-Almaty@eksmo.kz

Украина: ООО «Форс Украина»
Адрес: 04073, г. Киев, ул. Вербовая, 17а
Телефон: +38 (044) 290-99-44, (067) 536-33-22. **E-mail:** sales@forsukraine.com

**Полный ассортимент продукции ООО «Издательство «Эксмо» можно приобрести в книжных
магазинах «Читай-город» и заказать в интернет-магазине:** www.chitai-gorod.ru.
Телефон единой справочной службы: 8 (800) 444-8-444. Звонок по России бесплатный.

Интернет-магазин ООО «Издательство «Эксмо»
www.book24.ru
Розничная продажа книг с доставкой по всему миру.
Тел.: +7 (495) 745-89-14. E-mail: imarket@eksmo-sale.ru

ISBN 978-5-04-104409-1